JN041658

# かやの
# ITパスポート
## 教室準拠

書き込み式

ドリル

令和07年

栢木 厚
監修

技術評論社

## 本書の使い方

### ●ITパスポート教室とリンク

本書の各テーマは，かやのき先生のITパスポート教室（以降，テキストと呼ぶ）と，完全にリンクしており，セットで使うことが前提となっています。

### ●本書の構成

各テーマは，大きく分けると「重要ポイントのまとめ」と，「問題演習」の2つの部分からなります。

### ・重要ポイントのまとめ

まず該当するテキストのページをしっかり読み，できればテキストを見ないで記入するとよいでしょう。書きながら覚えるタイプの方は，見ながら記入してもよいでしょう。

答えはすぐ下に掲載してありますが，目に入ってしまって気になるという方は，しおりなどで隠しながら取り組んで下さい。

「知っ得情報」は，テキストではスペースの都合で割愛した用語や，今後出題が予想される用語も載せています。合わせて覚えるとよいでしょう。

### ・問題演習

「プチ問題」は，過去問題を解く前の準備体操のような問題です。ハードルを低くして解きやすくしてあります。また，○×式で簡単に答えられるタイプのものも用意しています。

「確認問題」では，テキストと重複していない問題を掲載しています。

# 試験対策

## ●苦手分野を作らない

　ITパスポート試験は，分野ごとの最低点が決まっています。トータルで60％を超えていれば合格ですが，「ストラテジ」「マネジメント」「テクノロジ」のうち，どれか一つでも30％未満だと不合格になってしまいます。「テクノロジ」は，普段PCを使っている方であればそれほど苦労はしないでしょう。しかし「マネジメント」は具体的なシステム開発の話ですし，「ストラテジ」も企業活動に関係するので，社会人でない方にはイメージしにくく，つい苦手意識をもってしまいがちです。

　テキストでは学習を進めやすい「テクノロジ」から始めるようになっています。「テクノロジ」に時間をかけすぎず，なるべく早めに「マネジメント(第8章)」「ストラテジ(第9～10章)」の学習を始めるようにしましょう。

## ●計算問題はサービス問題

　計算問題が食わず嫌いになってしまってはいませんか。特に，損益分岐点や基数変換などの計算問題は，一見難解に見えても，必要な知識はそれほど必要ありません。攻略してしまえば確実に得点源として見込めます。

　時間があれば，公式の意味から理解すれば，より本質をつかむことができますし，多少切り口の違う問題が出ても対応することができます。

　なお，よく出る計算問題は，以下のようなものです。

・損益分岐点に関係する計算
・稼働率に関する計算
・論理演算
・データの伝送時間に関する問題

　これらについて，もし苦手意識があるのなら，時間をとって集中的に学習してみてください。うまく攻略できれば，2，3問は確実に稼げます。

## ●3文字略語は得点源

　ストラテジ系に特によく出てくるBPOやBSC，CSFなどの3文字略語。単語帳などでそのまま丸暗記しても，覚えたそばから忘れてしまいます。例えば「BPO」はBusiness（業務）・Process（処理）・Outsourcing（外部委託）の略。略される前の元の単語が思い出せれば，その日本語訳で何を示すか思い出せます。

## ●索引はチェックリスト

　テキスト「ITパスポート教室」の後ろには，重要用語を抜き出した索引が掲載されています。用語の意味を調べたいときに辞書のようにして使うことの多い索引ですが，これをチェックリストとして使う方法もあります。用語を見て，どんなものなのかおぼろげにでも思い浮かべばOKで，どんどん線を引いて消していきましょう。思い浮かばないものは，本文のページを開いて説明を読みこみ，覚えてしまいましょう。

## ●独自情報も書き込もう

　ITパスポート試験では，時事問題のような新しいIT用語が出題されることがあります。新聞や雑誌，Webページなどで気になった知らない用語は，そのまま放置してしまうと，試験本番で「見たことがあるのにわからない」という一番悔しい状態になってしまいます。

　気になる用語は放置せず，すぐに意味を調べることを習慣にしましょう。そして理解できたら，自分なりにまとめて本書の空きスペースにどんどん書き込みましょう。できれば，丸写しではなく，自分なりに理解し，まとめ直すと忘れにくくなります。

　スペースが足りなければ，紙を貼り足してもよいし，大判のふせんを使用する方法もあります。どんどん書き込んで，あなただけのオリジナルな重要ポイントまとめ集にしあげましょう。

# 目次

## 第1章 ハードウェアと基礎理論 [テクノロジ系]

## 第2章 ソフトウェア [テクノロジ系]

## 第3章 システム構成 [テクノロジ系]

# 第8章 マネジメント［マネジメント系］

# 第9章 企業活動と法務［ストラテジ系］

# 第10章 経営戦略とシステム戦略［ストラテジ系］

# 第1章

# ハードウェアと基礎理論

## 〔テクノロジ系〕

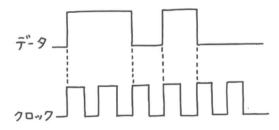

| 値 | 1 | 1 | 0 | 1 | 0 | 0 |
|----|---|---|---|---|---|---|

ネコ

データ

クロック

# 情報に関する理論

## 🥢 アナログとデジタル

　量の表し方には，連続的に変化する量で表現する①_____と，不連続な量で表現する②_____の2種類があります。

| 答え | ①アナログ　　②デジタル |
| --- | --- |

## 🥢 情報量の単位と表現可能な情報量

　2進数1桁の情報量の単位を①_____といいます。また，8ビットを集めた単位が②_____であり，2進数8桁に相当します。

　"10001111" は1 ③_____ (8 ④_____) の情報量であり，このような「1」と「0」の羅列を⑤_____ (⑥_____) と呼ぶこともあります。

　2進数nビットでは，⑦____種類の情報を表現できます。

| 答え | ①ビット　　②バイト　　③バイト　　④ビット<br>⑤ビット列　⑥ビットパターン　⑦ $2^n$ |
| --- | --- |

## 🥢 接頭語

　大きな数値を表す接頭語には，$10^3$ を表す①____，$10^6$ を表す②____，$10^9$ を表す③____，$10^{12}$ を表す④____，$10^{15}$ を表す⑤____があります。

小さな数値を表す接頭語には，$10^{-3}$を表す⑥＿＿＿，$10^{-6}$を表す⑦＿＿＿，$10^{-9}$を表す⑧＿＿＿，$10^{-12}$を表す⑨＿＿＿があります。

| 答え | ①k | ②M | ③G | ④T | ⑤P | ⑥m |
|---|---|---|---|---|---|---|
| | ⑦$\mu$ | ⑧n | ⑨p | | | |

## 🫛 文字コード

文字コードは，文字などに割り振られた固有の①＿＿＿＿＿＿のことです。半角英数字中心の②＿＿＿＿＿＿＿コードや，日本語を扱えるようにした③＿＿＿＿＿＿＿＿＿＿コード，世界の文字の多くを一つの体系にした④＿＿＿＿＿＿＿＿があります。

| 答え | ①番号 | ②ASCII | ③シフトJIS | ④Unicode |
|---|---|---|---|---|

## 🫛 プチ問題

・1つの電灯の点灯と消灯を表すには，①＿＿＿ビット必要である。

・4ビットは，2の②＿＿＿乗個の情報が表せる。

・2キロバイトが何ビットかを計算したい。

　　2 × ③＿＿＿＿＿ × ④＿＿＿＿＿ ＝ ⑤＿＿＿＿＿＿＿ビットである。

・A〜Eまでの5文字を表すことを考える。

　　⑥＿＿＿ビットあれば，2の⑥＿＿＿乗＝8種類の文字が表せる。

| 答え | ①1 | ②4 | ③1000 | ④8 | ⑤16000 | ⑥3 |
|---|---|---|---|---|---|---|

学習日　月　日

## コンピュータの構成

コンピュータのハードウェアは，①_____装置，②_____装置，③_____装置，④_____装置，⑤_____装置で構成されています。

記憶装置には，プログラムやデータを一時的に記憶する⑥_____装置と，長期的に記憶する⑦_____装置があります。

| 答え | ①制御 | ②演算 | ③記憶 | ④入力 | ⑤出力 |
|---|---|---|---|---|---|
| | ⑥主記憶 | ⑦補助記憶 | | | |

## CPU

制御装置と演算装置を合わせて①_____といいます。「中央処理装置」と訳されます。

CPUは，一度に処理できる②_____が大きいものほど処理能力が高く，複数のコアを搭載する③_____が主流です。

CPU内の回路は④_____に合わせて動作します。

⑤_____は1秒間に信号が繰り返される回数で，単位は⑥____です。

⑦_____は，画像データの処理に特化したプロセッサです。

| 答え | ① CPU | ②ビット数 | ③マルチコア | ④クロック信号 |
|---|---|---|---|---|
| | ⑤クロック周波数 | ⑥ Hz | ⑦ GPU | |

# 主記憶と補助記憶

## 記憶装置

　記憶装置には電源を切るとデータが消える①_____性のものと，電源が途絶えてもデータは消えない②_____性のものがあります。

　③_____は，CPUが処理を実行するのに必要なプログラムやデータを一時的に記憶しておく装置で，④_____性です。

| 答え | ①揮発 | ②不揮発 | ③主記憶 | ④揮発 |
|------|-------|---------|---------|-------|

## キャッシュメモリ

　CPUと①_____の速度差を吸収し，CPUの処理効率を向上させます。CPUが最初にアクセスするのは②_____キャッシュで，そこにデータがなければ③_____キャッシュにアクセスします。

| 答え | ①主記憶 | ②1次 | ③2次 |
|------|---------|-------|-------|

## ハードディスク装置

　①_____は，プログラムやデータを長期的に記憶しておく装置で，②_____性です。

　ハードディスク装置は，③_____を使ってデータを読み書きする記憶装置です。プログラムやデータはここに保存されています。

　④_____は複数のハードディスクを仮想的に一つのものとして扱い，高速性や耐故障性を高める技術です。

⑤＿＿＿＿＿＿＿は，データを分割して，２台以上のハードディスクに分散して書き込みます。⑥＿＿＿＿＿＿＿＿＿ともいいます。

⑦＿＿＿＿＿＿＿は，２台以上のハードディスクに同じデータを書き込みます。⑧＿＿＿＿＿＿＿＿ともいいます。

⑨＿＿＿＿＿＿＿は，分割したデータとデータ復元のためのパリティ情報を，３台以上のハードディスクに分散して書き込みます。

| 答え | ①補助記憶 | ②不揮発 | ③磁気 | ④ RAID |
|---|---|---|---|---|
| | ⑤ RAID0 | ⑥ストライピング | ⑦ RAID1 | ⑧ミラーリング |
| | ⑨ RAID5 | | | |

## 🦫 その他の補助記憶装置

①＿＿＿＿＿＿＿＿＿＿は，電気を使ってデータを読み書きする半導体メモリです。USBメモリが代表例です。

②＿＿＿＿＿＿は，ハードディスクと比べると，機械的な可動部分がないため，高速，静音で，発熱が少なく，省電力，振動や衝撃に強いなどの特徴があります。

光ディスクは，③＿＿＿＿＿＿＿＿を使ってデータを読み書きする記憶媒体です。記憶容量が一番大きいのは④＿＿＿＿＿＿です。

| 答え | ①フラッシュメモリ | ② SSD | ③レーザ光 | ④ BD |
|---|---|---|---|---|

## 😎 RAM

RAMは，①＿＿＿＿＿性の特徴があります。

②＿＿＿＿＿は，高密度で消費電力が大きく，ビット単価を安価にできます。③＿＿＿＿＿に使われます。

④＿＿＿＿＿は，動作速度が高速で，消費電力が小さく，⑤＿＿＿＿＿＿＿＿＿＿に使われます。

| 答え | ①揮発　　　②DRAM　　　③主記憶　　　④SRAM |
|---|---|
| | ⑤キャッシュメモリ |

## 😎 ROM

ROMは，①＿＿＿＿＿性の特徴があります。

ROMは本来，「読むことができるだけのメモリ」でしたが，最近は，書換えできるROMも多くなっています。書き換えできるPROMには，電気的にデータを消去して書換えできるEEPROM，それを改良してUSBメモリなどに使われている②＿＿＿＿＿＿＿＿＿＿＿などがあります。

| 答え | ①不揮発　　　②フラッシュメモリ |
|---|---|

# 入出力装置

## 入力装置とバーコード

位置情報を入力する装置を総称して，①＿＿＿＿＿＿＿＿＿＿＿と呼びます。

②＿＿＿＿＿＿は，手書きの文字や印刷された文字をテキストデータに変換する技術です。

③＿＿＿＿＿＿＿は商品を識別・管理するためのコードで，商品のパッケージなどに印刷されています。④＿＿＿＿＿＿＿は，小さな領域に多くの情報を格納できる二次元コードです。

⑤＿＿＿＿＿＿＿＿＿は，コードの読取り誤りや入力誤りを検出するために付加された数字です。

| 答え | ①ポインティングデバイス | ②OCR | ③JANコード |
|---|---|---|---|
| | ④QRコード | ⑤チェックディジット | |

## ディスプレイ

PCやスマートフォン，タブレットで長く主流として使われてきた①＿＿＿＿＿＿＿＿＿＿に加え，最近は，自ら発光して低消費電力の②＿＿＿＿＿＿＿＿＿＿＿を使用する製品も増えています。

ディスプレイ上では，文字や画像を③＿＿＿＿＿＿と呼ばれる点の集まりで表示しています。

フルハイビジョンは1,920×1,080ピクセルの解像度で，④＿＿と呼ばれています。これに対し，⑤＿＿は3,840×2160ピクセル，⑥＿＿は7,680×4320ピクセルの解像度です。

| 答え | ①液晶ディスプレイ | ②有機 EL ディスプレイ | ③ピクセル |
|---|---|---|---|
| | ④ 2K | ⑤ 4K | ⑥ 8K |

## プリンタ

①_____はコピー機と同じ原理で，レーザ光と静電気を使って，トナーを定着させることで印字します。

②_____は，印字ヘッドのノズルからインクを吹き付けることで印字します。

③_____は，印字ヘッドの多数のピンでインクリボンに衝撃を与えることで印字します。

プリンタの解像度は1インチあたりのドット数で表し，単位は④____です。この数値が大きいほど解像度が高くなります。

⑤_____は，3次元のデータを用いて，樹脂や金属などの材料を層状に少しずつ積み重ねることで立体物を造形します。

| 答え | ①レーザプリンタ | ②インクジェットプリンタ |
|---|---|---|
| | ③ドットインパクトプリンタ | ④ dpi |
| | ⑤ 3D プリンタ | |

## プチ問題

・ 地形を立体的に把握するため①_____で模型を作った。

・ いわゆる○○payなどに使われるのは②_____である。

・ 数字を素早く入力するため③_____を使った。

・ 光の三原色は④_____である。

・ スマートフォンでは⑤_____方式のタッチパネルが使われている。

| 答え | ① 3D プリンタ | ② QR コード | ③テンキー | ④ RGB | ⑤静電容量 |
|---|---|---|---|---|---|

## 有線インタフェース

　①_____は，PCとハードディスク，プリンタなどの様々な周辺機器を接続するための標準的な②_____です。

　USBのType-A，Bでは両端のコネクタ形状は異なっていますが，③_____は同じになっています。

　④_____は，PCの電源を入れたままケーブルの脱着ができることをいいます。⑤_____は，PCにケーブルを差し込むとOSが自動認識し，必要な設定が行われる方式です。

　⑥_____は，USBのケーブルを介して，必要な電力をPC本体から供給する方式です。

　⑦_____は，映像，音声，制御信号を，1本のケーブルで入出力できるAV機器向けのインタフェースです。

| 答え | ① USB | ②インタフェース | ③ Type-C |
|---|---|---|---|
|  | ④ホットプラグ | ⑤プラグアンドプレイ | ⑥バスパワー方式 |
|  | ⑦ HDMI | | |

## 無線インタフェース

　①_____は，無線電波によるインタフェースです。通信方式の一つである②_____は，低消費電力で長期間動作する特徴があります。

　③_____は，赤外線による無線インタフェースです。

④_____は，ICチップと小型アンテナを埋め込んだ荷札です。IC
タグとも呼ばれています。内容の書き換えができ，梱包の外からも読
める特徴があります。交通系ICカードもRFIDを利用しています。
RFIDの国際規格として，⑤_____があります。

| 答え | ① Bluetooth | ② BLE | ③ IrDA | ④ RFID | ⑤ NFC |
|------|-------------|-------|--------|--------|--------|

## 周辺機器の制御

①_____は，PCに接続されている周辺機器を制御，操
作するためのソフトウェアです。PCに接続した周辺機器をアプリケー
ションから利用できるようにするために，　メーカごと，周辺機器ごと
に用意されています。

| 答え | ①デバイスドライバ |
|------|------------------|

## プチ問題

・ USB2.0と3.0の機器は接続することが①_____。
・ USBには無線の規格が用意されて②_____。
・ ノートPCのポートが足りなかったので③_____を
　使った。

| 答え | ①できる | ②いない | ③ポートリプリケータ |
|------|---------|---------|---------------------|

## AI

AI（①＿＿＿＿＿＿）は，人間が行うような知的な活動を行うプログラムです。

②＿＿＿＿＿＿＿型AIは，人がルールを考えてコンピュータに教え込むタイプのものです。

③＿＿＿＿＿＿は，過去のデータを経験として，コンピュータ自らが予測や判断ができるようにすることです。

④＿＿＿＿＿＿＿は，学習データとその正解をコンピュータに提示することで，コンピュータ自らがそれらの関係性を学習する方法です。

⑤＿＿＿＿＿＿＿は学習データのみを与え，AI自らが，統計的性質や類似性に従い，データのクラスタリングや情報の集約を行う方法です。

⑥＿＿＿＿＿＿は，試行錯誤を通して，報酬（評価）が最も多く得られるような方策を学習する方法です。

⑦＿＿＿＿＿＿＿＿＿＿は，人の脳神経回路を模倣したモデル（⑧＿＿＿＿＿＿＿＿＿＿＿）を多層に重ねることで，学習能力を高めた機械学習です。入力された値を⑨＿＿＿＿関数で処理します。

⑩＿＿＿＿＿＿＿＿＿＿は，出力されたデータを正解データと比較し，差ができるだけ少なくなるよう，遡って修正することです。

⑪＿＿＿＿＿は，AIが学習に使った訓練データに過剰に適合しすぎて，未知のデータに対しては適合できずに精度が下がってしまう状態です。

⑫＿＿＿＿＿＿＿は，AIが事実に基づかない情報を生成することです。

⑬＿＿＿＿＿＿は，汎用性の高い機械学習モデルです。

| 答え | ①人工知能 | ②ルールベース |
|---|---|---|
| | ③機械学習 | ④教師あり学習 |
| | ⑤教師なし学習 | ⑥強化学習 |
| | ⑦ディープラーニング | ⑧ニューラルネットワーク |
| | ⑨活性化 | ⑩バックプロパゲーション |
| | ⑪過学習 | ⑫ハルシネーション ⑬基盤モデル |

## 🦫 AIの応用と倫理

①_____は，文章や画像，動画，音声，デザイン，プログラムコードなどを生成するAIです。

②_____は，テキストや音声や画像などを同時に理解できるAIです。

AIがどうやって意思決定したのか理解できるようにすることを③_____といいます。

④_____は，AIが考える過程で人が関わることです。

⑤_____は，AIを使って元とは異なるものを生成することです。

政府が策定した「人間中心のAI社会原則」では，人間の⑥_____が尊重される社会，⑦_____な背景を持つ人々が多様な幸せを追求できる社会，⑧_____性ある社会の実現を基本理念としています。

⑨_____は，AIサービスを提供するプロバイダや，AIシステムのビジネス利用者が留意すべき事項をまとめたものです。

⑩_____は，AIの知能が人の知能を上回ってしまう技術的特異点のことです。

⑪_____は，実世界でビッグデータを収集し，AIを使ってデータを分析して，解析結果を実世界にフィードバックすることで付加価値を創造する仕組みです。

⑫_____は，IoTなどを活用して実世界の情報をサイバー

空間に送り，サイバー空間に実世界の環境を再現することです。

⑬＿＿＿＿＿＿＿エンジニアリングは，生成AIに適切で効果的な質問や指示が出せるスキルのことです。

| 答え | ①生成 AI<br>③説明可能な AI<br>⑤ディープフェイク<br>⑦多様<br>⑨AI 利活用ガイドライン<br>⑪サイバーフィジカルシステム<br>⑬プロンプト | ②マルチモーダル AI<br>④ヒューマンインザループ<br>⑥尊厳<br>⑧持続<br>⑩シンギュラリティ<br>⑫デジタルツイン |
|---|---|---|

---

**確認問題　A** ▶ 生成AIに関するサンプル問題　問2

　生成AIが，学習データの誤りや不足などによって，事実とは異なる情報や無関係な情報を，もっともらしい情報として生成する事象を指す用語として，最も適切なものはどれか。

ア　アノテーション　　　　　イ　ディープフェイク
ウ　バイアス　　　　　　　　エ　ハルシネーション

**要点解説** 生成AIが作成する文章や画像などの情報は，常に正しいとは限りません。事実とは異なるもっともらしい情報を生成してしまうこともあり，これをハルシネーションといいます。

**解答**

問題A：エ

## 💭 確率

$$確率 = \frac{①\underline{\hspace{8em}}場合の数}{②\underline{\hspace{8em}}の場合の数}$$

　複数の事象が同時に起こる場合の数を考えるときは，③＿＿＿＿＿＿で求めます。また，複数の事象が別々に起こる場合の数を考えるときは，④＿＿＿＿＿で求めます。

　⑤＿＿＿＿＿は，n個の中からr個を順番に取り出して並べたものです。

　！は⑥＿＿＿＿を表します。

　n個の中からr個を取り出す⑤＿＿＿＿＿の数は，

$$_nP_r = \frac{n!}{⑦\underline{\hspace{6em}}} \quad (n \geq r)$$

　⑧＿＿＿＿＿＿は，n個の中から並び順を考慮せずに，r個取り出すことです。

　n個の中からr個を取り出す⑧＿＿＿＿＿の数は，

$$_nC_r = \frac{n!}{⑨\underline{\hspace{6em}}} \quad (n \geq r)$$

| 答え | ①ある事象が起こる | ②起こりうる事象の全て | ③掛け算 |
|---|---|---|---|
| | ④足し算 | ⑤順列 | ⑥階乗 |
| | ⑦（n－r）！ | ⑧組合せ | ⑨r！（n－r）！ |

## 統計

①_____は，各データの合計をデータの個数で割った値です。

②_____（中央値）は，データを順番に並べて中央に位置する値です。

③_____（最頻値）は，出現頻度の最も高い値です。

④_____（範囲）は，データの最大値と最小値の差で求めます。

⑤_____は，平均値からのばらつきを表し，偏差（平均値との差）の2乗の平均値です。

⑥_____は，分散の平方根（$\sqrt{\phantom{x}}$）です。

標準偏差が⑦_____ければ，ばらつきが小さい，標準偏差が⑧_____ければ，ばらつきが大きいということになります。

⑨_____は，平均値を中心とした左右対称の釣り鐘型の分布です。テストの点数などの分布は通常ではこれに近くなります。

⑩_____は，平均値を50，標準偏差を10とし，平均からどれだけ離れているかを表す指標です。

他のデータから著しく離れた値を⑪_____といいます。また，それらのうち入力ミスなどで除外すべきデータを⑫_____といいます。

| 答え | ①平均値 ②メジアン ③モード ④レンジ ⑤分散 ⑥標準偏差 ⑦小さ ⑧大き ⑨正規分布 ⑩偏差値 ⑪外れ値 ⑫異常値 |
| --- | --- |

## 10進数・2進数

人の世界では①＿＿＿＿進数，コンピュータ内部では②＿＿進数が使われています。人が考えるときには，③＿＿進数と簡単に変換できる，④＿＿＿＿進数などがよく使われます。

2進数は，⑤＿＿と⑥＿＿の2種類の数字を使って，⑦＿＿の次が桁上がりします。

16進数では，1桁の数字は，0から9までしかないため，⑧＿＿＿＿を代用します。

| 答え | ①10 | ②2 | ③2 | ④16 | ⑤0 | ⑥1 | ⑦1 | ⑧英字 |

## 基数変換

①＿＿＿＿＿＿は，ある進数で表現されている数値を，別の進数に変換することです。

10進数を2進数で表現するには，10進数の値を②＿＿で割り，商が③＿＿になるまで繰返し，最後に④＿＿＿＿を計算とは逆に並べます。

| 答え | ①基数変換 | ②2 | ③0 | ④余り |

### ㊙ 知っ得情報 ◀ シフト

例えば2進数の正数0011と0110と1100では，「11」が左に1つずつ移動（シフト）していますが，それぞれ10進数に直すと3と6と12となり，2倍ずつ増えています。2進数の正の数であれば，左にシフトさせることで，元の数の2倍・4倍・8倍…などは簡単に計算することができます。右にシフトさせると，元の数の1/2倍，1/4倍，1/8倍…になっていきます。

## 🐡 プチ問題

· 16進数のAは，10進数で表すと①＿＿＿＿。
· 2進数1011を10進数にしてみよう。

| 2進数 | 1 | 0 | 1 | 1 |
|---|---|---|---|---|
| 2進数の重み | ②＿＿＿ | $2^2$ | $2^1$ | $2^0$ |
| | 8 | 4 | ③＿＿ | 1 |
| 掛けて足す | 8＋ | ④＿＿＋ | 2＋ | 1 |

＝⑤＿＿＿＿

| 答え | ①10 | ②$2^3$ | ③2 | ④0 | ⑤11 |
|---|---|---|---|---|---|

# 第 **2** 章

# ソフトウェア
## 〔 テクノロジ系 〕

IF( 🌡 >15℃, 外遊び, 昼寝 )

# 2 01 ソフトウェア

## ソフトウェア

PCやスマートフォン，タブレットなどを使って，何らかの作業をするときは，その用途に応じた①＿＿＿＿＿＿＿＿＿＿ソフトウェアを使用します。

②＿＿＿＿＿（③＿＿＿＿＿＿＿＿＿＿＿＿＿）は，ハードウェアとアプリケーションの間で動作し，アプリケーションがハードウェアを効率的に利用できるように管理・制御するソフトウェアです。

| 答え | ①アプリケーション　　　②OS　　　③オペレーティングシステム |
|---|---|

## OS

①＿＿＿＿＿＿＿は，1台のコンピュータで，複数のアプリケーションを少しずつ並行して実行することで，複数のアプリケーションが同時に実行しているように見せるOSの機能です。

②＿＿＿＿＿＿＿は，主記憶と低速な入出力装置とのデータ転送を，補助記憶を介して行うことで，システム全体の処理能力を高める機能です。

③＿＿＿＿＿＿は，補助記憶の一部を主記憶のように使うことです。

| 答え | ①マルチタスク　　　②スプーリング　　　③仮想記憶 |
|---|---|

## ⚓ その他のソフトウェア

①_____は，PCの基盤上のROMに搭載されているプログラムのことです。後継として②_____が登場しています。

PCの電源を入れてから，BIOS，③_____，常駐のアプリケーションの順番で起動していきます。

④_____は，OSとアプリケーションの中間に位置するソフトウェアのことです。

| 答え | ① BIOS | ② UEFI | ③ OS | ④ミドルウェア |
|---|---|---|---|---|

**2**
ソフトウェア

## ⚓ OSS

①_____ (OSS) は，②_____を公開しているソフトウェアです。ライセンス条件に従えば，自由にソースコードを改変し再③_____できます。

主な例として，OSにはAndroidや④_____が，電子メールソフトとしては⑤_____が，⑥_____としてはMySQLや⑦_____が，⑧_____としてはApacheなどがあります。

⑨_____は，改変したコードの再配布時は，元のソフトと同じ条件にしなければいけないというライセンスです。

| 答え | ①オープンソースソフトウェア | ②ソースコード |
|---|---|---|
| | ③配布 | ④ Linux |
| | ⑤ Thunderbird | ⑥データベース管理システム |
| | ⑦ PostgreSQL | ⑧ Web サーバ |
| | ⑨コピーレフト | |

## ファイル管理

　記憶装置に保存したファイルは，①_____を用いて階層構造（木構造）で管理されています。ディレクトリには，ファイルや別の②_____を格納できます。

　主にマウスで視覚的に操作するインタフェースでは，ディレクトリは③_____と呼ばれています。

　階層構造のうち最上位にあるディレクトリが④_____ディレクトリです。

　⑤_____ディレクトリは，現在，作業の対象となっているディレクトリです。

　⑥_____は，目的のファイルにたどり着くまでの経路です。

　⑦_____パス指定は，ルートディレクトリを基点として，目的のファイルまでの経路を指定する方法です。

　⑧_____パス指定は，カレントディレクトリを基点として，目的のファイルまでの経路を指定する方法です。

| 答え | ①ディレクトリ | ②ディレクトリ | ③フォルダ | ④ルート |
|------|---------------|---------------|-----------|---------|
|      | ⑤カレント | ⑥ファイルパス | ⑦絶対 | ⑧相対 |

### 知っ得情報 ◀ 相対パスと絶対パスの使い分け

　Web ページは，一つのHTMLファイルだけで構成されていることはほとんどなく，画像ファイルや他のHTMLファイルなど，多くの関連するファイルがリンクされています。

　相対パスは，同じコンピュータの中にあるファイルしか示すことができませんが，入れ子構造になっているディレクトリとファイルの位置関係を崩さなければ，参照先のディレクトリをまるごと移動してもリンクの修正は簡単です。

　自分のWebサイトの中のリンクであれば，相対パスを使います。他のWebサイトへのリンクなら，絶対パスを使って「http:// ～」のように書きます。

## プチ問題

次の図のパスを考えてみよう。

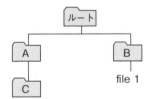

(1) file1 の絶対パスは①＿＿＿＿＿＿＿＿

(2) カレントディレクトリがCのとき，file1 の相対パスは？

　Cから②＿＿つ上のディレクトリに移動することを③＿＿＿＿＿で表す。

　そこから④＿＿ディレクトリ配下のfile1 なので

　「⑤＿＿＿＿＿＿＿＿」となる。

| 答え | ① /B/file1 | ② 2 | ③ ../.. | ④ B | ⑤ ../../B/file1 |

# 2 / 03 ファイルのバックアップ

## バックアップ

　バックアップの方法には，全てのデータをバックアップする①＿＿＿＿バックアップや，前回のフルバックアップ以降に変更されたデータをバックアップする②＿＿＿＿バックアップ，フルバックアップまたは各増分バックアップ以降に変更されたデータをバックアップする③＿＿＿＿バックアップがあります。

　④＿＿＿＿＿ルールは，バックアップを確実にとる方法です。

| 答え | ①フル | ②差分 | ③増分 | ④ 3-2-1 |
|------|-------|-------|-------|---------|

## プチ問題

　次の記述は○か×か？

| | |
|---|---|
| フルバックアップでは，バックアップの時間は短いが，復旧時間が長くなる。 | ①＿＿＿ |
| バックアップは，可能であれば自動化したほうがよい。 | ②＿＿＿ |
| バックアップは，直前にバックアップした媒体に上書きする。 | ③＿＿＿ |
| CD-ROMに記録されているパッケージソフトウェアは，通常バックアップの必要はない。 | ④＿＿＿ |

| 答え | ①× | ②○ | ③× | ④○ |
|------|-----|-----|-----|-----|

# 表計算
## （相対参照と絶対参照）

## 表計算ソフト

　表計算ソフトの作業領域を①＿＿＿＿＿＿＿＿といい，行と列の２次元の表から構成されています。また，行と列によって仕切られた各マス目を②＿＿＿＿＿といい，③＿＿＿＿＿＿と呼ばれる番地で管理し，列のアルファベットと行の数字を組み合わせて表します。

　表計算ソフトの計算式で使われる四則演算とは加減乗除算のことであり，コンピュータの世界では乗算は「④＿＿＿」，除算は「⑤＿＿＿」で表します。さらに，べき乗は「⑥＿＿＿」で表します。

　複写元を基準として，複写元からどの方向にどれだけ離れているのかで，計算式のセル番地を自動調節します。このような参照方法を⑦＿＿＿＿＿参照といいます。

　列または行の前に「$」を付けると，計算式のセル番地を複写しても自動調節はされず固定されます。このような参照を⑧＿＿＿＿＿参照といいます。

　セルアドレスのどこに$をつけるかという問題を解くには，まず$を考えずにあるべき式を考え，比較して⑨＿＿＿＿＿したい列または行の前に$を付けます。

| 答え | ①ワークシート　　②セル　　　　③セル番地　　　　④＊　　　　　⑤／<br>⑥＾　　　　　　　⑦相対　　　　⑧絶対　　　　　⑨固定 |
|---|---|

## 🐝 プチ問題

以下の表を見て，各セルに入力する式を考えてみよう。

|  | A | B | C | D | E |
|---|---|---|---|---|---|
| 1 | 営業課員 | 売上金額 | 目標金額 | 達成率 | 歩合給 |
| 2 | 鈴木 | 520 | 550 |  |  |
| 3 | 福田 | 674 | 650 |  |  |
| 4 | 小林 | 352 | 300 |  |  |
| 5 | 合計 |  |  |  |  |
| 6 |  |  |  |  |  |
| 7 | 歩合率(%) | 1.5 |  |  |  |

(1) D2に，鈴木課員の目標金額に対する売上金額の達成率を求め，D3，D4にコピーしたい。

　　達成率を求める式は，売上金額①＿＿＿目標金額×100

　　D2に入力する式は②＿＿＿＿＿＿＿＿＿＿＿＿＿

(2) E2に，鈴木課員の歩合給を求めたい。歩合給は，売上金額に歩合率を掛けたものである。E2に入る式はE3，E4にもコピーする。上下方向にコピーするので，複写元とその下のセルのあるべき式を考える。

　　歩合給を求める式は，売上金額×歩合率

　　E2に入るべき式は，③＿＿＿＿＿＿＿＿

　　E3に入るべき式は，④＿＿＿＿＿＿＿＿

　　比較して，固定したい行に＄をつける。

　　E2に入る式は，⑤＿＿＿＿＿＿＿＿＿となる。

| 答え | ①÷　　　　　　②B2 / C2 ＊ 100　　　③B2 ＊ B7 |
|---|---|
|  | ④B3 ＊ B7　　　⑤B2 ＊ B＄7 |

# 2 05 表計算（関数）

## 関数

関数は，ある目的の①_____をするために，あらかじめ用意された数式です。関数は，関数名（②_____）という形で表記します。

合計，平均，最大，最小のほか，次のようなものがあります。

| ③_____ | セルA1からセルA5までの範囲のうち，空白セルでないセルの個数を求める |
| --- | --- |
| ④_____ | セルA1からセルA5までの範囲のうち，25より大きなセルの個数を求める |
| ⑤_____ | セルA1の値（数値でなければならない）以下の最大の整数を求める |
| ⑥_____ | セルA1の値をセルA2の値で割ったときの剰余を求める |
| ⑦_____ | セル範囲（A3:H11）の左上端（A3）のセルから1と数え，行方向に2，列方向に5移動したセルの値（E4）の値を求める |
| ⑧_____ | セルB3の値を $E$3:$G$5の範囲の左列で探し，見つかったら3列目の値を返す |

| 答え | ①計算 | ②引数 | ③個数（A1:A5） |
| --- | --- | --- | --- |
| | ④条件付個数（A1:A5，> 25） | ⑤整数部（A1） | ⑥剰余（A1，A2） |
| | ⑦表引き（A3:H11，2，5） | ⑧垂直照合 (B3,$E$3:$G$5,3,0) | |

## いろいろな関数

IF 関数は，①_____を満たしているかどうかによって，処理を分ける関数です。次のような書式で記述します。

IF（②_____の条件，③____の処理，④____の処理）

IF 関数は⑤_____（入れ子）して使うこともできます。

また，論理積・論理和関数も出題されています。

| | |
|---|---|
| ⑥_____（論理式 1，論理式 2，…） | 論理式が全て真であれば真を，それ以外のときは偽を返す |
| ⑦_____（論理式 1，論理式 2，…） | 論理式が一つでも真のものがあれば，真を返す。それ以外のときは偽を返す |

| 答え | ①条件 | ②論理式 | ③真 | ④偽 | ⑤ネスト |
|---|---|---|---|---|---|
| | ⑥論理積 | ⑦論理和 | | | |

## 表計算ソフトの応用

①_____機能は，表計算ソフトの複数の操作を記録して，自動的に一連の操作を実行できる機能です。

②_____は表計算ソフトの機能の一つで，クロス集計の項目を簡単に切り替えられるデータ分析ツールです。

| 答え | ①マクロ | ②ピボットテーブル |
|---|---|---|

# ♨ プチ問題

顧客の前年度購入金額が100万円以上は7%引き，100万円未満30万円以上は3%引き，30万円未満は0%のように割引率をC2に表示したい。C2に入る式は？

|   | A | B | C |
|---|---|---|---|
| 1 | 顧客番号 | 前年度購入金額 | 割引率（%） |
| 2 | 0001 | 450000 | |

まず，購入金額が100万円以上なら7，そうでなければ偽の処理に移る。偽の処理を？とすると，

①_____

次に，？ となっている偽の処理を考える。

購入金額が30万円以上であれば3，そうでなければ0になる式は，

②_____

セルC2の計算式は，この2つを組み合わせた式となる。

③_____

| 答え | ① IF（B2 ≧ 1000000,7, ?）　　　② IF（B2 ≧ 300000,3,0）<br>③ IF（B2 ≧ 1000000,7, IF（B2 ≧ 300000,3,0）） |
|---|---|

# 2 07 ユーザインタフェース

## ユーザインタフェース

　ユーザインタフェース（①_____）は，利用者とコンピュータの接点です。コンピュータに対して，キーボードでコマンドを入力して命令する②_____や，画面に表示されたアイコンやボタンをクリックして命令する現在主流の③_____があります。GUIでは，次のような部品を使って操作します。

| | |
|---|---|
| ④_____ | 複数の項目から一つを選択 |
| ⑤_____ | 各項目を選択（複数の選択も可能） |
| ⑥_____ | 特定の連続する値を増減 |
| ⑦_____ | 上から垂れ下がるように表示 |
| ⑧_____ | 画面から浮き出るように表示 |

　⑨_____は，人の自然な行動を利用したインタフェースです。

　⑩_____は，使いやすさや機能にとどまらず，使うことで利用者が楽しく快適な体験ができるかどうかまでを含む概念です。

　⑪_____は，マウスを用いず特定のキーを押すだけで実行できるようにした機能です。

　⑫_____は，入力中の文字から過去の入力履歴を参照して，候補となる文字列の一覧を表示する機能です。

| | |
|---|---|
| **答え** | ① UI　　　　　② CUI　　　　　③ GUI<br>④ラジオボタン　　⑤チェックボタン　　⑥スピンボタン<br>⑦プルダウンメニュー　⑧ポップアップメニュー　⑨ NUI<br>⑩ UX　　　　　⑪キーボードショートカットキー<br>⑫オートコンプリート |

## 🐾 新しいインタフェースと使いやすさ

①_____は，ある物が人に対して与える行動の可能性です。人の特定の行動を誘発させる手掛かりとなるデザインを，②_____といいます。

③_____は，国籍や年齢，性別，身体的条件などにかかわらず，誰もが使える設計のことです。

④_____は，年齢や身体的条件などにかかわらず，誰もが情報サービスを支障なく操作・利用できるかの度合いのことです。

⑤_____は，利用者がどれだけストレスを感じずに，目標とする要求が達成できるかの度合いのことです。

⑥_____は，国籍や文化を問わず理解できるシンプルな絵のアイコンです。

⑦_____は，グラフやイラストなどを使って関連する情報を一つにまとめたものです。

情報デザインの原則として，⑧_____，⑨_____，⑩_____，⑪_____があります。

| | |
|---|---|
| **答え** | ①アフォーダンス　　　②シグニファイア<br>③ユニバーサルデザイン　④アクセシビリティ<br>⑤ユーザビリティ　　　⑥ピクトグラム<br>⑦インフォグラフィックス　⑧近接<br>⑨整列　　　　　⑩反復<br>⑪対比 |

2
ソフトウェア

# 2 08 マルチメディア

## 🐳 マルチメディアのファイル形式

ある決まりに従って，データ量を小さくすることを①_____といい，逆に元に復元することを②_____（伸張）といいます。

データの圧縮には，圧縮したデータを完全に復元できる③_____圧縮方式と，完全には復元できない④_____圧縮方式があります。

⑤_____は，データをダウンロードしながら同時に再生できる技術です。

主なファイル形式は次のとおりです。

| | 種　類 | 特　徴 |
|---|---|---|
| 静止画像 | BMP | Microsoft（Windows）標準，非圧縮，フルカラー（約1,677万色）。 |
| | ⑥_____ | 可逆圧縮，256色。イラストやアイコンなどに使われる |
| | ⑦_____ | 非可逆圧縮，フルカラー，国際標準規格。写真などに使われる |
| | ⑧_____ | 可逆圧縮，256色（PNG-8），フルカラー（PNG-24）の2種類。Web用の画像などに使われる |
| 動画 | ⑨_____ | 非可逆圧縮。国際標準規格。MPEG-4はインターネット配信や携帯電話で使われる |
| 音声 | ⑩_____ | 国際標準規格。音楽データ配信やポータブルプレーヤで使われる |

| 答え | ①圧縮 ②解凍 ③可逆 ④非可逆<br>⑤ストリーミング ⑥ GIF ⑦ JPEG ⑧ PNG<br>⑨ MPEG ⑩ MP3 |
|---|---|

**2** ソフトウェア

## 🎵 音のデジタル化

アナログの音の情報をデジタル化するには，次の三つの手順で行います。

① _____化……アナログの波形を一定時間間隔で区切り，値を取り
出します。

② _____化……取り出した値を，決められた範囲の中で，最も近い
値を割り当てます。

③ _____化……割り当てた値を，2進数で表します。

| 答え | ①標本 ②量子 ③符号 |
|---|---|

## 🎵 マルチメディアの応用

① _____は，コンピュータを使って画像を
処理，生成する技術，またその画像のことです。

② _____は，仮想現実ともいい，コンピュータグ
ラフィックスなどを使用して実際の物体や空間のように知覚できるよ
うにする技術です。

③ _____は，拡張現実ともいい，現実にある映像の一部に，コン
ピュータが作りだす仮想の情報を重ね合わせて表示する技術です。

④ _____は，仮想空間でアバターを通して交流できる技術です。

⑤ _____は，建物や模型などの立体物に，
CGを用いた映像などを投影し，様々な視覚効果を出す技術です。

グラフィックスデータには，線画を扱う⑥ _____グラフィックスと，
写真を扱う⑦ _____グラフィックスがあります。

| 答え | ①コンピュータグラフィックス　②バーチャルリアリティ　　③AR<br>④メタバース　　　　　　　　⑤プロジェクションマッピング<br>⑥ベクタ　　　　　　　　　　⑦ラスタ |
|---|---|

**確認問題　A**　▶ 平成30年度秋期　問86

　イラストなどに使われている，最大表示色が256色である静止画圧縮のファイル形式はどれか。

ア　GIF　　　　　イ　JPEG　　　ウ　MIDI　　　　エ　MPEG

**要点解説** 選択肢のうち，静止画圧縮の方式は，GIFとJPEG。256色の上限があるのはGIF。
MIDIは音楽データの形式，MPEGは動画データの形式。

**解答**

問題A：ア

# 第 **3** 章

# システム構成
## 〔テクノロジ系〕

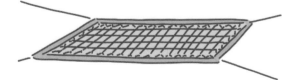

## 🞄 処理形態

①＿＿＿＿＿＿処理は，１台の大型コンピュータに複数台の端末を接続し，端末からの処理要求を大型コンピュータで集中して処理させる形態です。

②＿＿＿＿＿＿＿＿＿＿＿＿＿＿は，気象変化の予測やシミュレーションなどに使われる超高性能なコンピュータです。

③＿＿＿＿＿＿処理は，複数のコンピュータをネットワークに接続し，処理を分散させる形態をいいます。

サービスを依頼する④＿＿＿＿＿＿＿＿と，サービスを提供するサーバとで，役割を分担した分散システムのことを⑤＿＿＿＿＿＿＿＿＿＿＿＿＿＿＿＿＿といいます。

⑥＿＿＿＿＿＿＿＿は，ボード型のコンピュータを専用の筐体に複数差し込んだ形態になっています。

シンクライアントシステムは，⑦＿＿＿＿＿＿＿＿＿側の機能を最小限にしたシステムのことです。⑧＿＿＿＿＿＿側でOSやアプリケーションの一元管理を行います。⑨＿＿＿＿＿＿は，シンクライアント実装の仕組みの一つで，「仮想デスクトップ基盤」と訳されます。

⑩＿＿＿＿＿＿は，ネットワーク接続型の記憶装置で，複数のPCから共有可能なファイルサーバ専用機です。

⑪＿＿＿＿＿＿＿＿は，それぞれのデータなどをお互いに対等な関係で利用する形態です。⑫＿＿＿＿＿＿＿＿＿＿＿＿＿＿＿は，コンピュータをネットワークに接続せず，単独で利用する形態です。

| 答え | ①集中 | ②スーパーコンピュータ | ③分散 |
|---|---|---|---|
| | ④クライアント | ⑤クライアントサーバシステム | ⑥ブレードサーバ |
| | ⑦クライアント | ⑧サーバ | ⑨VDI |
| | ⑩NAS | ⑪ピアツーピア | ⑫スタンドアローン |

## 利用形態

①_____処理は，データを一定期間，または一定量をまとめてから，一括して処理する形態です。

②_____処理は，ネットワークを通じて端末から処理要求を受け付け，即時に処理して結果を返す形態です。

③_____処理は，利用者が，ディスプレイ上に表示されたアイコンを選択するなど，コンピュータと情報のやり取りを行い，人間の判断を加えながら処理する形態です。

| 答え | ①バッチ | ②リアルタイム | ③対話型 |
|---|---|---|---|

### 知っ得情報 リアルタイムシステム

リアルタイムシステムは，ある一定の短い時間内に処理を完了させることを保証するシステムです。例えば車のエンジンのマイコン制御では，運転手がアクセルを踏み込む量を感知し，ほぼ同時にガソリンの噴射量を増やしますが，そのような処理をいいます。

3

システム構成

# システム構成

## 二組のシステム

①＿＿＿＿＿＿＿＿＿＿システムは，通常業務で使用する本番系と，本番系の故障に備える待機系の二組で構成される方式です。

②＿＿＿＿＿＿＿スタンバイは，待機系を準備しておき，障害発生時に待機系を立ち上げて，本番系へ切り替える方式です。

③＿＿＿＿＿＿スタンバイは，待機系を常に動作可能な状態で待機させておき，障害発生時に直ちに本番系へ切り替える方式です。

④＿＿＿＿＿＿＿システムは，二組のシステムで構成され，常に同じ処理を行わせて結果を照合することで，高い信頼性を得られる方式です。

| 答え | ①デュプレックス | ②コールド | ③ホット | ④デュアル |
|------|----------------|----------|---------|----------|

## サーバの仮想化

サーバの仮想化は，1台の①＿＿＿＿＿サーバ上で複数のサーバが同時に稼働しているように見せる技術です。

サーバ内部の部品の性能を上げる②＿＿＿＿＿＿＿＿＿＿や，サーバの台数を増やす③＿＿＿＿＿＿＿＿＿により，自由に性能を拡張できます。

④＿＿＿＿＿＿＿＿＿＿＿＿＿は，仮想サーバで稼働しているOSやアプリケーションを停止せずに，他の物理サーバへ移し替える技術です。

⑤＿＿＿＿＿＿型は，ホストOS上の仮想化ソフトウェアでゲストOSを動かします。⑥＿＿＿＿＿＿＿＿型は，ハードウェア上のハイパバイザでゲストOSを動かします。⑦＿＿＿＿＿＿型は，OS上にコンテナエンジンを動作させ，さらにコンテナを動作させます。

⑧＿＿＿＿＿＿＿＿＿は，複数のサーバを連携させ，一つのサーバのように動作させる技術です。

⑨＿＿＿＿＿＿＿＿＿＿＿＿＿は，ネットワークを介して多数のコンピュータを連携させることで，仮想的に1台の巨大で高性能なコンピュータを作る技術のことです。

| 答え | ①物理　　　　　　　　　　②スケールアップ　　　③スケールアウト<br>④ライブマイグレーション　⑤ホスト　　　　　　　⑥ハイパバイザ<br>⑦コンテナ　　　　　　　　⑧クラスタリング<br>⑨グリッドコンピューティング |
| --- | --- |

3

システム構成

## 🐾 バックアップサイト

①＿＿＿＿＿＿サイトは，待機系サイトとして稼働させ，常にデータを更新し，障害発生時には直ちに業務を再開させるものです。

②＿＿＿＿＿＿＿サイトは，予備のサイトにハードウェアを用意して，定期的にデータなどを搬入して保管し，障害発生時には，これら保管物を活用してシステムを復元し業務を再開させるものです。

③＿＿＿＿＿＿＿サイトは，事前に予備のサイトのみを確保し，障害発生時には，必要なハードウェアやソフトウェア，データなどを搬入して，システムを復元し業務を再開させるものです。

④＿＿＿＿＿＿は，災害など予期せぬ事態が発生したときでも，重要な業務の継続を可能とするために事前に策定される行動計画です。

⑤＿＿＿＿＿＿＿＿＿＿分析では，業務が停止したときの影響などを分析し，許容される最大停止時間などを決定します。

また，PDCAサイクルで継続的に維持・向上を図るマネジメント活動を⑥＿＿＿＿＿といいます。

| 答え | ①ホット　　　　　　②ウォーム　　　③コールド　　　④BCP<br>⑤ビジネスインパクト　⑥BCM |
| --- | --- |

**確認問題 A** ▶ 平成29年度秋期　問87

　通常使用される主系と，その主系の故障に備えて待機しつつ他の処理を実行している従系の二つから構成されるコンピュータシステムはどれか。

ア　クライアントサーバシステム　　イ　デュアルシステム
ウ　デュプレックスシステム　　　　エ　ピアツーピアシステム

**要点解説** 動作している主系と待機している従系の二つで構成されるシステムは，デュプレックスシステムです。

**解答**

問題A：ウ

# システムの信頼性

## 稼働率

平均故障間隔（①＿＿＿＿＿＿）は，システムが正常に稼働している時間の平均時間です。

平均修復時間（②＿＿＿＿＿＿）は，システムが故障して修理している時間の平均時間です。

稼働率は，システムが正常に稼働している時間の割合で，以下の式で求めます。

$$稼働率 = \frac{③\underline{\hspace{3cm}}}{④\underline{\hspace{5cm}}}$$

システムAの稼働率をa，システムBの稼働率をbとしたとき，

直列システムの稼働率は⑤＿＿＿＿＿

並列システムの稼働率は⑥＿＿＿＿＿＿＿＿＿＿　となります。

| 答え | ① MTBF | ② MTTR | ③ MTBF | ④ MTBF ＋ MTTR |
|------|---------|---------|---------|----------------|
|      | ⑤ a × b | ⑥ 1 － (1 － a) (1 － b) | | |

## バスタブ曲線

各装置の故障率と時間の関係をグラフにすると，①＿＿＿＿＿＿曲線を描きます。初期故障期間→②＿＿＿＿故障期間→摩耗故障期間という経過をたどります。③＿＿＿＿＿＿は，定期的にシステムをメンテナンスし，故障の前兆をとらえて部品を交換することです。

| 答え | ①バスタブ | ②偶発 | ③予防保守 |
|------|-----------|--------|-----------|

## プチ問題1

次の記述は○か×か？

| | |
|---|---|
| MTBFは，平均故障間隔のことをいう。短いほうが保守性は高いといえる。 | ①＿＿＿ |
| 稼働率は，稼働が期待されている時間のうち，正常に稼働した時間の割合である。 | ②＿＿＿ |
| 同じ稼働率の装置を，直列につなぐと，装置の数が増えるほど全体の稼働率は下がる。並列につなぐと，装置の数が増えるほど全体の稼働率は上がる。 | ③＿＿＿ |

| 答え | ①× ②○ ③○ |
|---|---|

## プチ問題2

次のシステムの稼働率を求めてみよう。

| 稼働時間 | 46時間 | － | 48時間 | － |
|---|---|---|---|---|
| 修理時間 | － | 2.5時間 | － | 3.5時間 |

MTBFは，（①＿＿＿＿＿＿）÷ ②＿＿＿ ＝ ③＿＿＿＿

MTTRは，（④＿＿＿＿＿＿＿）÷ ⑤＿＿＿ ＝ ⑥＿＿＿

稼働率は，⑦＿＿＿÷（⑧＿＿＿＿＿）＝ ⑨＿＿＿＿％

| 答え | ① 46 ＋ 48 ② 2 ③ 47 ④ 2.5 ＋ 3.5 ⑤ 2 |
|---|---|
| | ⑥ 3 ⑦ 47 ⑧ 47 ＋ 3 ⑨ 94 |

# システムの評価

## システムの信頼性設計

　①＿＿＿＿＿＿＿＿＿＿＿＿＿は，構成部品の信頼性を高めて，故障が起きる確率を下げる技術です。

　②＿＿＿＿＿＿＿＿＿＿＿＿＿は，システムを構成する重要部品を多重化するなど，あらかじめ故障を想定し，故障してもシステムを動かし続けるという考え方です。

　③＿＿＿＿＿＿＿＿＿は，安全性を最優先する設計のことです。

　④＿＿＿＿＿＿＿＿は，システムが故障したときは，機能を低下させてもシステムの運転を継続する設計のことです。

　⑤＿＿＿＿＿＿＿＿は，不特定多数の人が操作しても，誤動作が起こりにくいようにする設計のことです。

| 答え | ①フォールトアボイダンス　　②フォールトトレランス<br>③フェールセーフ　　④フェールソフト<br>⑤フールプルーフ |
| --- | --- |

## システムの経済性と評価

　システムの経費を大別すると，システム導入時に発生する初期費である①＿＿＿＿＿＿コストと，導入後に発生する運用費・管理費である②＿＿＿＿＿＿コストとに分けられます。さらに，これらの総額を③＿＿＿＿＿といいます。

　④＿＿＿＿＿＿＿＿＿＿＿は，システムの性能測定用に作成された標準的なプログラムやデータを用い，実際にコンピュータ上で動作させて，処理に要した時間を測定することです。

答え ①イニシャル ②ランニング ③TCO ④ベンチマークテスト

## プチ問題

次の記述は○か×か？

| | |
|---|---|
| 人間のやることにはミスがつきものであり，また機械に故障はつきものである。これを前提に信頼性を高める考え方を，フォールトアボイダンスという。 | ①＿＿＿ |
| 電気ポットには，「給湯ボタン」を押す前に「ロック解除」ボタンを押さないとお湯が出ないようになっているものがある。これは，フールプルーフである。 | ②＿＿＿ |

答え ①× ②○

# IoTシステムと組込みシステム

## IoT

　IoTは，様々なモノを①＿＿＿＿＿＿＿＿につなぐことです。「接続された機器」ということで②＿＿＿＿＿＿＿＿＿＿＿＿と呼ぶこともあります。③＿＿＿＿＿＿＿＿は，IoT機器をインターネットに接続するための中継ポイントです。

　IoT機器に組み込まれるセンサとしては，温湿度センサや圧力センサのほか，物体の変形を検出する④＿＿＿＿＿＿＿，物体の回転速度や傾きを検出する⑤＿＿＿＿＿＿＿＿などがあります。さらに，電気信号を力学的な運動に変えるものを⑥＿＿＿＿＿＿＿＿といいます。

　⑦＿＿＿＿＿＿＿＿＿＿＿＿＿は，IoT端末から近い場所にもある程度の処理ができるサーバをおくものです。

　⑧＿＿＿＿＿＿は機械同士が通信することをいい，機械をネットワーク化することで人が介在せずに高度な処理を実現できます。

| 答え | ①インターネット | ②コネクテッドデバイス |
| --- | --- | --- |
| | ③IoTゲートウェイ | ④ひずみゲージ |
| | ⑤ジャイロセンサ | ⑥アクチュエータ |
| | ⑦エッジコンピューティング | ⑧MtoM |

## IoTの実例

　①＿＿＿＿＿＿＿は無線で操縦する無人飛行機のことです。

　体に装着してセンサにより歩数や睡眠時間，走った時間などを計測・記録するものを②＿＿＿＿＿＿＿＿＿＿といいます。

③＿＿＿＿＿＿＿＿＿は，自動車の車載機に通信機能を持たせ，情報を送受信することです。また，インターネットにつながる車を④＿＿＿＿＿＿＿＿＿＿＿といいます。

⑤＿＿＿＿＿＿＿＿＿＿＿＿＿＿＿は，太陽光・振動・温度差などで発電できる素子により電力を得る技術です。

⑥＿＿＿＿＿＿は，家庭内のエネルギーの可視化と電力消費の最適制御です。

⑦＿＿＿＿＿＿は，アイディアが本当に実現できるかを実証することです。

⑧＿＿＿＿＿＿は，新技術の導入で期待通りの価値が得られるかを実証することです。

⑨＿＿＿＿＿＿＿は，省電力で広範囲のIoT用のネットワークです。

IoT機器のセキュリティのガイドラインとしては，⑩＿＿＿＿＿＿＿＿＿＿＿＿＿＿＿があります。

| 答え | ①ドローン | ②アクティビティトラッカ |
|---|---|---|
| | ③テレマティクス | ④コネクテッドカー |
| | ⑤エネルギーハーベスティング | ⑥HEMS |
| | ⑦PoC | ⑧PoV |
| | ⑨LPWA | ⑩IoTセキュリティガイドライン |

## 組込みシステム

①＿＿＿＿＿＿＿＿＿は，特定の機能を実現するために専用化されたハードウェアと，それを制御するソフトウェアから構成されます。②＿＿＿＿＿＿＿＿＿＿＿と呼ばれるごく小さなコンピュータが使われています。③＿＿＿＿＿＿＿＿＿は内部のフラッシュメモリに記録されます。組込みシステムでは最近，OSとしてLinuxがよく使われており，④＿＿＿＿＿＿＿＿＿と呼ばれています。

| 答え | ①組込みシステム | ②マイクロコンピュータ | ③ファームウェア |
|---|---|---|---|
| | ④組込みLinux | | |

**確認問題 A** ▸ 令和2年度秋期 問10

　IoTに関する事例として，最も適切なものはどれか。

ア　インターネット上に自分のプロファイルを公開し，コミュニケーションの輪を広げる。

イ　インターネット上の店舗や通信販売のWebサイトにおいて，ある商品を検索すると，類似商品の広告が表示される。

ウ　学校などにおける授業や講義をあらかじめ録画し，インターネットで配信する。

エ　発電設備の運転状況をインターネット経由で遠隔監視し，発電設備の性能管理，不具合の予兆検知及び補修対応に役立てる。

要点解説　PCやサーバなどにとどまらず，家電や産業機械など，あらゆるモノに通信モジュールを組込み，インターネットに接続することをIoTといいます。発電設備の運転状況の遠隔監視は，IoTに該当します。

**3**

システム構成

**解答**

問題A：エ

## ソリューションビジネス

　①＿＿＿＿＿＿＿＿＿は，自社の施設内に，自社の情報システムを設置して運用することです。

　②＿＿＿＿＿＿＿サービスは，サービス事業者がサーバを設置する施設を貸し出すサービスです。

　③＿＿＿＿＿＿＿＿サービスは，サービス事業者が所有するサーバを貸し出すサービスです。

　④＿＿＿＿＿＿＿＿＿＿＿は，ネットワーク経由でデータを保管するディスク領域を貸し出すサービスのことです。

　⑤＿＿＿＿＿＿＿＿＿＿＿＿＿は，クラウド事業者が整備したサーバ，OS，ソフトウェアを，インターネット経由で，物理的な場所を意識することなく，サービスとして利用する形態です。

| 答え | ①オンプレミス | ②ハウジング |
|---|---|---|
| | ③ホスティング | ④オンラインストレージ |
| | ⑤クラウドコンピューティング | |

## クラウドサービス

　①＿＿＿＿＿＿＿サービスは，サービス事業者がサーバやOS，ソフトウェアなどを所有して提供するサービスです。

　②＿＿＿＿＿＿＿は，クラウド事業者がサーバやネットワークなどのインフラをネットワーク経由で提供するサービスです。

　③＿＿＿＿＿＿＿は，クラウド事業者がOSやミドルウェアなどのプラットフォームをネットワーク経由で提供するサービスです。

　④＿＿＿＿＿＿＿は，クラウド事業者が，アプリケーションをネットワーク経由で提供するサービスです。

　⑤＿＿＿＿＿＿は，異なる機能を備えたサービスとして部品化したものを組み合わせて情報システムを構築する考え方です。

　⑥＿＿＿＿は，情報システムの企画から開発・運用・保守までの業務を請け負うサービスのことです。

　⑦＿＿＿＿＿＿＿＿＿＿＿＿＿＿＿＿＿認証は，クラウド事業者のセキュリティ管理に関する認証です。

| 答え | ①クラウド | ②IaaS | ③PaaS | ④SaaS | ⑤SOA |
| --- | --- | --- | --- | --- | --- |
| | ⑥SI | ⑦ISMSクラウドセキュリティ | | | |

## 🎩 システム活用促進

　①＿＿＿＿＿＿＿＿は，情報を収集・評価・活用・発信する，情報を取り扱う能力のことです。

　②＿＿＿＿＿＿＿＿＿＿＿は，情報やインターネットを利用する能力や機会の違いによって生じる経済的・社会的な格差のことです。

　③＿＿＿＿＿＿＿＿＿＿＿は，ゲームで用いられる要素や仕組みをサービスやシステムに応用することです。

　④＿＿＿＿＿＿＿＿＿は，時代遅れの旧来の技術基盤により構築されている情報システムです。

| 答え | ①情報リテラシー | ②デジタルディバイド |
| --- | --- | --- |
| | ③ゲーミフィケーション | ④レガシーシステム |

**3**

システム構成

**確認問題 A** ▸ 令和6年度　問82

　ISMSクラウドセキュリティ認証に関する記述として，適切なものはどれか。

ア　一度認証するだけで，複数のクラウドサービスやシステムなどを利用できるようにする認証の仕組み
イ　クラウドサービスについて，クラウドサービス固有の管理策が実施されていることを認証する制度
ウ　個人情報について適切な保護措置を講ずる体制を整備しているクラウド事業者などを評価して，事業活動に関してプライバシーマークの使用を認める制度
エ　利用者がクラウドサービスへログインするときの環境，IPアドレスなどに基づいて状況を分析し，リスクが高いと判断された場合に追加の認証を行う仕組み

要点解説　ア　シングルサインオン（5-05参照）
　　　　　イ　ISMSクラウドセキュリティ認証
　　　　　ウ　プライバシーマーク
　　　　　エ　リスクベース認証（5-05参照）

**解答**

問題A：イ

# 第 **4** 章

# ネットワーク
## 〔テクノロジ系〕

## 🎵 ネットワークの構成

①_____は，会社内や家庭内など比較的狭い範囲内のネットワークのことです。これに対して，②_____は，通信事業者の通信回線を利用して，物理的に離れた地点間を結ぶネットワークのことです。

③_____は，ネットワーク上を流れるデータを小さく分割したものです。複数の利用者が通信回線を共有し，通信回線を効率良く使用できる方式を④_____方式といいます。

⑤_____は，音声データをパケット化してインターネット経由でリアルタイムに送受信する技術です。

| 答え | ①LAN | ②WAN | ③パケット | ④パケット交換 | ⑤VoIP |

## 🎵 ネットワークの構成要素

LANケーブルを束ねる集線装置を①_____といいます。

②_____は，受信データのMACアドレスを解析してネットワーク内の宛先の端末に転送します。同じ機能をもつ③_____と呼ばれる装置があり，一つのLANを仮想的に複数のLANに分割する④_____機能を装備したものもあります。

⑤_____は，ネットワーク機器に割り振られた固有のアドレスのことです。

⑥_____は，異なるネットワークを相互接続し，最適な経路を選んでデータの中継を行う⑦_____機能を持つ装置で，⑧_____と同じ機能です。

　端末が宛先の経路情報をもたないときに，データの宛先として指定するのが，同じネットワーク内の⑨＿＿＿＿＿＿＿＿＿＿＿＿＿＿＿＿となるルータです。

　⑩＿＿＿＿＿に対応したネットワーク装置は，LANケーブルを介して給電することができます。

　⑪＿＿＿＿＿は，家庭内に既設されている電気配線をデータの送受信に利用する技術です。

　⑫＿＿＿＿＿は，遠隔地にあるコンピュータをネットワーク経由で起動させる機能です。

**4** ネットワーク

| 答え | ①ハブ | ②スイッチングハブ | ③L2 スイッチ |
| | ④ VLAN | ⑤ MAC アドレス | ⑥ルータ |
| | ⑦ルーティング | ⑧L3 スイッチ | ⑨デフォルトゲートウェイ |
| | ⑩ PoE | ⑪ PLC | ⑫ WoL |

### 知っ得情報 ◀ イーサネット ▶

　**イーサネット**（Ethernet）は，有線LANの規格の一つで，IEEE802.3として標準化されています。利用するケーブルの形状やインタフェース，データの形式などが決められています。速度やケーブルなどによって細分化されていて「1000BASE-T」のように表記されています。

# 4 02 無線LAN

## LANの規格

LANの規格は，IEEE（米国電気電子技術者協会）が決めています。①_____LANはIEEE802.3，②_____LANはIEEE802.11として規格化されています。

③_____は，無線LAN装置間で，相互接続性が保証されていることを示すブランド名です。

| 答え | ①有線 | ②無線 | ③ Wi-Fi |
|------|-------|-------|---------|

## 無線LAN

無線LANは①_____となる無線LANルータと端末との間で通信します。IEEE802.11には，アクセスポイントなしで2台の端末を直接通信させる②_____もあります。Wi-Fi規格では，③_____と呼ばれます。

④_____は，サテライトルータを追加して，複数の無線LANルータで一つの無線ネットワークを形成するものです。

⑤_____は，Wi-Fi接続時の設定を簡単に行うための規格です。

現在の無線LANでは，より強固な暗号化規格である⑥_____やWPA3が使われています。

ESSIDは，無線の⑦_____を識別する文字列のことです。無線LANのアクセスポイント側での発信を停止し，端末にアクセスポイントの一覧が表示されないようにESSIDの⑧_____機能を使用することが推奨されています。

⑨＿＿＿＿＿＿＿＿＿＿＿＿＿＿＿＿は，接続を許可する端末のMAC
アドレスを事前にアクセスポイントに登録することです。

ESSIDがわからない状態でも無線LANに接続できる「ANY」を無効
にするのが⑩＿＿＿＿＿＿＿＿＿です。

| 答え | ①アクセスポイント | ②アドホックモード |
|------|------------------|------------------|
| | ③ Wi-Fi Direct | ④メッシュ Wi-Fi |
| | ⑤ WPS | ⑥ WPA2 |
| | ⑦ネットワーク | ⑧ステルス化 |
| | ⑨ MAC アドレスフィルタリング | ⑩ ANY 接続拒否 |

**4**
ネットワーク

知っ得情報 ◀ 公衆無線 LAN ▶

一般ユーザに開放した無線LANのことをいいます。無償の場合
も，有償の場合もあります。ホテルや喫茶店，駅，空港などにアクセスポ
イントが設置されることが多くなっています。ただしセキュリティレベル
が低いこともあるので，注意して使う必要があります。

## 🐬 通信プロトコル

　ネットワークを介してコンピュータ同士が通信する際の①_____を通信プロトコルといいます。

　②_____は，インターネットなどで広く使われているプロトコル体系で，③_____（事実上の標準）です。

　④_____は，WebサーバとWebブラウザ間でデータを送受信するときに使われるプロトコルです。

　⑤_____は，電子メールを送信・配送するときに使われるプロトコルです。

　⑥_____は，電子メールを受信するときに使われるプロトコルです。⑦_____での出題もあります。メールサーバ上に用意された利用者ごとの⑧_____（保存領域）から，利用者がメールソフトを使って，電子メールを受け取るときに使われています。

　⑨_____は，電子メールがサーバ側に保存されたままメールを読んだりできるプロトコルです。⑩_____での出題もあります。

　⑪_____は，電子メールで日本語などを扱えるようにした規格です。

　⑫_____は，時刻情報を同期させるプロトコルです。

　⑬_____は，ファイル転送するときに使われるプロトコルです。

　⑭_____は，ネットワークアーキテクチャのモデルです。

| 答え | ①約束事　　②TCP/IP　③デファクトスタンダード　　④HTTP<br>⑤SMTP　　⑥POP　　⑦POP3　　⑧メールボックス　　⑨IMAP<br>⑩IMAP4　⑪MIME　⑫NTP　　⑬FTP　　⑭OSI基本参照モデル |
|---|---|

# インターネットの仕組み

## 🔵 IPアドレス

①＿＿＿＿＿＿＿は，ネットワークに接続されている機器に割り振られた一意の識別番号のことです。IPv4では，2進数②＿＿ビットで表されますが，人が扱うときは読みやすいように③＿＿ビットごとに10進数で表されます。

④＿＿＿＿＿＿＿＿は，IPアドレスをネットワークアドレス部とホストアドレス部に区切るために使用するビット列のことです。

IPアドレスには，インターネットのような世界に開けたネットワークで使用される⑤＿＿＿＿＿＿IPアドレスと，LANのような組織内で閉じたネットワークで使用される⑥＿＿＿＿＿IPアドレスの2種類があります。これを相互に変換するのが⑦＿＿＿＿です。

IPアドレスを人が理解しやすいように文字列に置き換えた別名を⑧＿＿＿＿＿＿といいます。

⑨＿＿＿＿は，IPアドレスとドメイン名を対応付けるシステムのことです。この働きは⑩＿＿＿＿＿と呼ばれています。

⑪＿＿＿＿＿は，IPアドレスの設定を自動化するためのプロトコルのことです。

IPアドレスを⑫＿＿＿＿ビットまで拡張する方式がIPv6で，パケットを暗号化する⑬＿＿＿＿＿が組み込まれています。

⑭＿＿＿＿＿＿は，通信サービスを識別するための番号です。

⑮＿＿＿＿は，IPアドレスからMACアドレスを取得するときに使われるプロトコルです。

| 答え | ① IP アドレス ② 32 ③ 8 ④ サブネットマスク<br>⑤ グローバル ⑥ プライベート ⑦ NAT ⑧ ドメイン名<br>⑨ DNS ⑩ 名前解決 ⑪ DHCP ⑫ 128<br>⑬ IPsec ⑭ ポート番号 ⑮ ARP |
| --- | --- |

---

**知っ得情報** ◀ **イントラネット・エクストラネット** ▶

　イントラネットは，WWWサーバやWebブラウザなどのインターネットの技術を利用した組織内ネットワークです。さらに，関連会社や得意先などのイントラネット同士を接続した組織間ネットワークをエクストラネットといいます。共に，ネットワークを安価に構築できるメリットがあります。

## 🐱 プチ問題1

　次の記述は，○か×か？

| | |
| --- | --- |
| プライベートアドレスは，組織内で重複がないように設定しなければならない。 | ①＿＿＿ |
| IPv4はクライアント専用に割り振り，IPv6はサーバ専用に割り振るIPアドレス体系である。 | ②＿＿＿ |
| 一つのPCでWebブラウザでWebページを閲覧しながら，同時にメールを送受信することができる。これは，それぞれのアプリケーションが異なるIPアドレスを利用しているためである。 | ③＿＿＿ |
| 「www.gihyo.co.jp」をIPアドレスに変換するのは，DNSサーバである。 | ④＿＿＿ |
| メールアドレスのドメイン名に，平仮名を使うことができる。 | ⑤＿＿＿ |

| 答え | ①○ ②× ③× ④○ ⑤× |
| --- | --- |

# 4 05 通信サービス

## 🎧 通信サービス

①_____は，光ファイバを使用した通信サービスです。

②_____は，ケーブルテレビの回線を使用した通信サービスです。

③_____は，通信が急増することによって，ネットワークの許容量を
超えて，つながりにくくなることです。

データ伝送速度を表す単位に，bpsがあります。1秒間に伝送でき
る④_____を表します。

⑤_____カードは，携帯番号や契約者IDなどが記録されているIC
カードのことです。物理的なカードの交換なしで遠隔で契約情報を書
き換えられる⑥_____も登場しています。

⑦_____機能は，スマートフォンをアクセスポイントのように
用いて，PCなどからインターネットを利用することです。

⑧_____は，移動体通信事業者から回線網を借りて，自社ブラン
ドで通信サービスを提供する事業者です。

⑨_____は，複数の異なる周波数帯を束ねて，
より広い帯域を使うことで無線通信の高速化や安定化を図る手法です。

⑩____は，ワイヤレス充電用の規格です。

| 答え | ① FTTH | ② CATV | ③輻輳 | ④ビット数 |
| | ⑤ SIM | ⑥ eSIM | ⑦テザリング | ⑧ MVNO |
| | ⑨キャリアアグリゲーション | ⑩ Qi | | |

## 🎵 WWW

①＿＿＿＿＿＿＿＿＿＿＿＿＿＿＿＿＿＿＿＿ (ISP) は，インターネットへの接続サービスを提供する事業者のことです。

②＿＿＿＿＿は，インターネット上で文字や画像，音声などの様々な情報を利用できるように構築されたシステムのことです。

③＿＿＿＿＿＿＿は，Webページを閲覧するソフトです。

世界中に散在するWebサーバが相互に接続され，格納されているWebページが相互に④＿＿＿＿＿＿＿（関連付け）しています。

⑤＿＿＿＿＿は，Webページなどの情報源を示すための表記方法です。

⑥＿＿＿＿＿＿＿は，トップページからの経路情報です。

⑦＿＿＿＿＿＿は，アクセスした利用者のWebブラウザに，Webサーバからの情報を一時的に保存する仕組みです。

検索エンジンは，⑧＿＿＿＿＿を使って情報を集めています。

⑨＿＿＿＿＿は，検索エンジンに高い評価を受けるWebページを作り，検索の際に上位に表示させる工夫や技術のことです。

⑩＿＿＿＿＿＿＿は，同時に使われやすいキーワードです。

⑪＿＿＿＿＿は，インターネット回線の負荷を軽減するために，大容量データを各地のサーバに分散配置することです。

⑫＿＿＿＿＿＿＿は，別のURLへの自動転送です。

| 答え | ①インターネットサービスプロバイダ | | ②WWW | |
|---|---|---|---|---|
| | ③Webブラウザ | ④ハイパーリンク | ⑤URL | ⑥パンくずリスト |
| | ⑦Cookie | ⑧クローラ | ⑨SEO | |
| | ⑩共起キーワード | ⑪CDN | ⑫リダイレクト | |

## 電子メール

　メールアドレスは，例えば，xyz@abc.co.jpのように，@をはさんで二つの部分に分かれます。@の左側が①_____（ユーザID）で，右側が②_____です。メールアドレスは，ドメインの中で一意になるようにユーザ名を付ける必要があります。

　③_____メールは，複数の宛先に一度に電子メールを送信することです。

　④_____に入力し送信した場合は，そのメールアドレスは，受信者全員に通知されます。

　⑤_____に入力し送信した場合は，そのメールアドレスは，受信者には通知されません。

　⑥_____は，あらかじめ登録されているメンバに同報メールを送信することができるサービスです。

　⑦_____を使う場合は，メールソフトのインストールや詳細な設定が不要で，Webブラウザがあれば，自宅以外のネットカフェなどのPCでも電子メールを送受信できます。

　⑧_____形式のメールは，メール本文の文字の大きさや色を変えたり，本文中に画像などを埋め込んだりできるなど多彩な表現ができます。

| 答え | ①ユーザ名 | ②ドメイン名 | ③同報 | ④CC |
|---|---|---|---|---|
| | ⑤BCC | ⑥メーリングリスト | ⑦Webメール | ⑧HTML |

4

ネットワーク

## 知っ得情報 ◀ エラーメール ▶

メールを送信したあと，「Returned mail」のようなタイトルがついたメールが「MAILER-DAEMON」から送られてくることがあります。これは，メールサーバがユーザに戻すエラーのメッセージで，ユーザが送ったメールが何らかの原因で送信されていないことを示します。以下のようなものがあります。

・ Host unknown：@より後の部分 (ホスト名) が存在しない
・ User unknown：@より前の部分 (ユーザ名) が存在しない

これらの場合は，メールアドレスがすでに無効になっているか，入力ミスが原因ですので，確認して入力し直します。

## 🐾 プチ問題

次の記述は○か×か？

| | |
|---|---|
| Webメールは，HTML形式のメールしか扱うことはできない。 | ①＿＿＿ |
| 取引先に新製品の案内メールを送るときは，BCCで送ればそれぞれのメールアドレスは表示されない。 | ②＿＿＿ |
| 重要箇所を赤字で太く強調するしたいときには，メールの形式をテキスト形式にする。 | ③＿＿＿ |

| 答え | ①× ②○ ③× |
|---|---|

# 第 5 章

# セキュリティ
〔 テクノロジ系 〕

# 5 01 情報資産と脅威

## 🐍 脅威の種類

企業などには，守るべき①_____がたくさんあります。これに対して，改ざんや破壊，情報漏えいなど，損失を与える原因となるものが②_____です。脅威は，情報資産に内在している弱点である③_____を突いてくるため，情報セキュリティ対策を実施していく必要があります。

| ④_____的脅威 | 天災，機器の故障，不正侵入など |
|---|---|
| ⑤_____的脅威 | 誤操作，紛失，盗難，盗み見，不正利用など |
| ⑥_____的脅威 | 不正アクセス，盗聴，なりすまし，改ざんなど |

物理的対策として，オフィスを区切る⑦_____，セキュリティエリアへの⑧_____などを行います。共連れ対策として，入室の記録がない人を退室させない⑨_____や，一人ずつしか通れない⑩_____を設置するなどの方法があります。

人的脅威のうち，⑪_____は，画面ののぞき見（⑫_____），ゴミ箱あさり（⑬_____）など人の心理の隙をついて機密情報を入手する行為のことです。

離席時に画面をロックする⑭_____や，机を整頓しておく⑮_____も大切です。

不正行為は，⑯_____・⑰_____・⑱_____の三つの条件が揃ったときに行われるという，不正のトライアングル理論が知られています。

| | ①情報資産 ②脅威 ③脆弱性 ④物理 ⑤人 ⑥技術 ⑦ゾーニング |
|---|---|
| 答え | ⑧入退室管理 ⑨アンチパスバック ⑩セキュリティゲート |
| | ⑪ソーシャルエンジニアリング ⑫ショルダーハッキング |
| | ⑬トラッシング ⑭クリアスクリーン ⑮クリアデスク |
| | ⑯機会 ⑰動機 ⑱正当化 |

## 技術的脅威

①_____は，コンピュータ内部のファイルに感染して，何らかの被害を及ぼすプログラムのことです。悪意を持って作成された②_____の一つです。

| （狭義の）コンピュータウイルス | 感染・③_____・発病の機能をもつ |
|---|---|
| ④_____ | 自ら感染を広げる自己増殖機能をもつ |
| ⑤_____ | マクロ機能を悪用してデータファイルに感染する |
| ⑥_____ | 有用なソフトウェアに見せかけて配布された後，不正な動作をする |
| ⑦_____ | 利用者の個人情報やアクセス履歴などの情報を勝手に収集する |
| ⑧_____ | キーボードの入力履歴を不正に記録する |
| ⑨_____ | 外部からの指令によって不正に操作され，特定サイトへの攻撃などを行う |
| ⑩_____ | ファイルを勝手に暗号化し，戻すパスワードと引き換えに金銭を要求する |

| | ①コンピュータウイルス ②マルウェア ③潜伏 |
|---|---|
| 答え | ④ワーム ⑤マクロウイルス ⑥トロイの木馬 |
| | ⑦スパイウェア ⑧キーロガー ⑨ボット |
| | ⑩ランサムウェア |

**5**
セキュリティ

# 🦇 ウイルス対策ソフト

　ウイルス対策ソフトは，ウイルスなどの検知・駆除・隔離などができるソフトウェアです。既知ウイルスの①＿＿＿＿＿＿＿＿＿を記録したファイルをウイルス定義ファイルとして管理します。ウイルスの挙動を監視し，不審な動きを検知する②＿＿＿＿＿検知機能を備えたものもあります。

　ゼロデイ攻撃は，③＿＿＿＿＿＿＿＿＿と呼ばれる修正プログラムが事業者から提供される前に，脆弱性を悪用して攻撃を行うことです。④＿＿＿＿＿＿＿＿＿は，OSやソフトウェアの設計ミスなどで生じたセキュリティ上の欠陥のことです。

　入力用のデータ領域を超えるサイズのデータを送りつけ，想定外の動作をさせるのは⑤＿＿＿＿＿＿＿＿＿攻撃です。

　通常の検索では表示されず，またアクセスのために専用ソフトが必要なWebサイトは⑥＿＿＿＿＿と呼ばれます。

| 答え | ①シグネチャコード | ②振る舞い |
|---|---|---|
| | ③セキュリティパッチ | ④セキュリティホール |
| | ⑤バッファオーバーフロー | ⑥ダークウェブ |

# サイバー攻撃

## 🦇 サイバー攻撃1

　①_____攻撃は，特定の組織を標的に，電子メールにウイルスを仕込む攻撃です。②_____攻撃は，標的型攻撃の一種で，対象の組織内の人がよく訪れるWebサイトにウイルスを仕込む攻撃です。金銭の窃取を目的とするものは，③_____詐欺です。

　④_____詐欺は，実在する企業を装った偽のWebサイトにアクセスさせ，個人情報をだまし取る攻撃です。

　⑤_____攻撃は，パスワードで利用されそうな単語を網羅した辞書データを用いて，ログインを試行します。

　⑥_____攻撃は，アルファベットと数字，記号を組み合わせたパスワードを総当たりにして，ログインを試行します。

　⑦_____攻撃は，何らかの方法で入手したユーザIDとパスワードを別のサービスに用いて，ログインを試行します。

　⑧_____攻撃は，特定のサーバに大量のパケットを送りつけて想定以上の負荷を与え，サービスを妨害する攻撃です。複数台のコンピュータを使って攻撃することを⑨_____攻撃といいます。

　⑩_____は不正アクセスを検知するシステムで，異常な通信を遮断するのが⑪_____です。さらに，複数機器のログをリアルタイムで分析して攻撃を発見するためのソフトが⑫_____です。

　⑬_____は，外部から攻撃を監視する専門組織です。

| 答え | ①標的型 | ②水飲み場 | ③ビジネスメール | ④フィッシング |
|---|---|---|---|---|
| | ⑤辞書 | ⑥総当たり | ⑦パスワードリスト | ⑧DoS |
| | ⑨DDoS | ⑩IDS | ⑪IPS | ⑫SIEM　⑬SOC |

## サイバー攻撃2

①_____は，Webページの入力欄に，悪意のある SQL命令を入力し，データを不正操作する攻撃です。

②_____は，悪意のスクリプトを利用者の ブラウザ上で実行させて，個人情報などを盗みます。

③_____は，悪意のスクリプトを含む Webページを閲覧させ別サイトで意図しない操作をさせます。

④_____は，Webサイト上に透明化した別のサイトのコンテンツを配置して別のサイトで操作させる攻撃です。

⑤_____は，マルウェアを気付かれぬようダウンロードさせます。

⑥_____は，通信を乗っ取る攻撃です。

⑦_____は，Webブラウザを乗っ取ります。

⑧_____は，DNSサーバの管理情報を書き換え，偽サイトに誘導する攻撃です。

⑨_____は，送信元IPアドレスを詐称して，標的のネットワーク上のホストになりすまして接続する攻撃です。

⑩_____は，他人のPCを不正に利用して，暗号資産を横取りします。

⑪_____は解放中のポート番号を調べる行為です。

⑫_____は，侵入の痕跡を隠蔽するなどのツールです。

⑬_____は，コンピュータ犯罪の証拠集めです。

| 答え | ①SQLインジェクション ②クロスサイトスクリプティング ③クロスサイトリクエストフォージェリ ④クリックジャッキング ⑤ドライブバイダウンロード ⑥セッションハイジャック ⑦MITB ⑧DNSキャッシュポイズニング ⑨IPスプーフィング ⑩クリプトジャッキング ⑪ポートスキャン ⑫ルートキット ⑬デジタルフォレンジクス |
|---|---|

## 情報セキュリティ

①＿＿＿＿＿＿＿＿＿＿＿は情報セキュリティマネジメント（②＿＿＿＿）
の国際規格です。

| ③＿＿＿＿性 | 認可された者だけが，情報を使用できる |
|---|---|
| ④＿＿＿＿性 | 情報が，正確・完全である |
| ⑤＿＿＿＿性 | 必要なときにいつでも情報を使用できる |
| ⑥＿＿＿＿性 | 偽造やなりすましでなく，本物である |
| ⑦＿＿＿＿性 | 意図したとおりの結果が得られる |
| ⑧＿＿＿＿＿＿性 | だれが関与したかを追跡できる |
| ⑨＿＿＿＿＿＿ | 後で「私じゃない」と否定されない |

| 答え | ① ISO/IEC27000　②ISMS　③機密　④完全　⑤可用 |
|---|---|
| | ⑥真正　⑦信頼　⑧責任追跡　⑨否認防止 |

## 情報セキュリティを守る体制

①＿＿＿＿＿＿＿＿＿＿＿＿は，組織の情報セキュリティに対する取り
組みに対して，ISMS認定基準の評価事項に適合していることを特定の
第三者が審査して認定する制度のことです。

　ISMSをPDCAで回す際，計画時に使われる目標設定手法の一つに
②＿＿＿＿＿＿があります。

③＿＿＿＿＿＿＿＿＿＿＿は，情報セキュリティを確保するための
方針や体制，対策等を包括的に定めた文書で，基本方針，対策基準，
実施手順で構成されます。

④_____は，組織のトップが，情報セキュリティに対する考え方や取り組む姿勢を組織内外に宣言する文書です。

⑤_____は，情報セキュリティマネジメントの基本的な枠組みと具体的な管理項目が規定されています。

さらに，⑥_____を定め，組織で扱う個人情報の扱い方について規定を設けることもあります。

⑦_____は，中小企業が，情報セキュリティ対策に取り組むことを自ら宣言する制度です。

| 答え | ①ISMS 適合評価制度　　　　②SMART<br>③情報セキュリティポリシー　④情報セキュリティ基本方針<br>⑤情報セキュリティ管理基準　⑥プライバシーポリシー<br>⑦SECURITY ACTION |
| --- | --- |

## 情報セキュリティの組織・機関

①_____は，企業などに設けるセキュリティ対策チームです。

②_____は，CIOやCSIO中心に組織内に常設される横断型の委員会です。

③_____は，政府機関や企業から独立したセキュリティ対策の組織です。

④_____は，サイバーレスキュー隊と呼ばれる取組みです。

⑤_____は，重要インフラの製造業者中心の情報共有の場です。

⑥_____は，脆弱なIoT機器の利用者に注意喚起する取組です。

| 答え | ① CSIRT　　②情報セキュリティ委員会　③ JPCERT/CC<br>④ J-CRAT　　⑤ J-CSIP　　⑥ NOTICE |
| --- | --- |

# 5 04 リスクマネジメント

## リスクマネジメント

　①_____は，組織が損失を被る可能性です。リスクを組織的に管理
していくことを②_____と呼びます。

　③_____は，情報資産に対するリスクを分析・評価
し，リスク受容基準に照らして対応するかを判断していくことです。

| リスク④_____ | 組織に存在するリスクを洗い出す |
|---|---|
| リスク⑤_____ | 発生確率と影響度からリスクレベルを算定する |
| リスク⑥_____ | リスクレベルとリスク受容基準を比較して，リスク対応が必要かを判断し優先順位をつける |

　⑦_____は，実際にどのような対策を選択するかを決定するこ
とです。

| リスク⑧_____ | リスクを第三者へ移転・転嫁（第三者と共有） |
|---|---|
| リスク⑨_____ | リスクの原因を除去 |
| リスク⑩_____ | 許容範囲として保有・受容 |
| リスク⑪_____ | リスクの損失額や発生確率を縮小 |

| 答え | ①リスク　②リスクマネジメント　③リスクアセスメント　④特定<br>⑤分析　⑥評価　⑦リスク対応　⑧共有<br>⑨回避　⑩保有　⑪低減 |
|---|---|

## 利用者認証

①_____は，システムを使用する際に，利用者が使用することを許可されている本人であるかを確認することです。

ユーザIDと②_____の組み合わせは，一般的な認証方法です。ICカードとICカードに保存された③_____を組み合わせた方法もあります。

④_____認証には，⑤_____的な特徴を使った認証と⑥_____的な特徴を使った認証があります。

⑦_____は，1回限りのパスワードです。

⑧_____認証は，位置と順序のイメージによる認証です。

⑨_____はプログラムによる自動投稿を排除する技術です。

⑩_____は，認証情報を事前に許可した別のサービスに引き継ぐ認証です。

⑪_____・⑫_____・⑬_____情報のうち二つ以上の異なる認証を組み合わせることを⑭_____認証といいます。

スマートフォンなどのSMS（ショートメッセージサービス）を利用した認証を⑮_____認証といいます。

⑯_____認証は，怪しいログインに追加認証を課します。

| 答え | ①利用者認証 | ②パスワード | ③PIN |
|---|---|---|---|
| | ④バイオメトリクス | ⑤身体 | ⑥行動 |
| | ⑦ワンタイムパスワード | ⑧マトリクス | ⑨CAPTCHA |
| | ⑩シングルサインオン | ⑪記憶 | ⑫所有物 |
| | ⑬生体 | ⑭多要素 | ⑮SMS | ⑯リスクベース |

## 知っ得情報　◀ チャレンジアンドレスポンス ▶

　サーバがクライアントへ任意の文字列（チャレンジ）を送信します。クライアントはチャレンジから一定の規則に基づき新たな文字列（レスポンス）を生成してサーバへ返送します。サーバ側でも同じ規則でレスポンスを作成し，返送されたレスポンスと比較してクライアントを認証する方式です。

　パスワードをそのままネットワークで送信するのではなく，毎回別の文字列が送信されることになり，盗聴の危険性を減らすことができます。

## プチ問題

次の記述は〇か×か？

| | |
|---|---|
| システム資源の節約のために，個人別のIDよりも部署ごとに共用のIDを推奨する。 | ①＿＿＿ |
| 退職者のIDは本人から削除申請があるまで，残しておく。 | ②＿＿＿ |
| 登録されているIDや利用者の権限などを定期的に点検する。 | ③＿＿＿ |
| ユーザに付与したパスワードは，ユーザが任意に変更できるようにする。 | ④＿＿＿ |
| 一つのサービスの認証だけで他のサービスへの認証を受けたとみなすしくみをワンタイムパスワードという。 | ⑤＿＿＿ |
| 普段とは別のPCからログインした場合に追加で認証させるしくみを多要素認証という。 | ⑥＿＿＿ |

| 答え | ①× | ②× | ③〇 | ④〇 | ⑤× | ⑥× |
|---|---|---|---|---|---|---|

5
セキュリティ

# ネットワークセキュリティ

## 🔒 ネットワークセキュリティ

①＿＿＿＿＿＿＿＿＿＿＿は，外部からの不正アクセスを防ぐために，インターネットとLANの間に置く仕組みです。②＿＿＿＿＿は，複数のセキュリティ機能を1台に筐体に統合して管理する装置です。

③＿＿＿＿＿＿＿＿＿＿＿＿は，通過するパケットのヘッダ情報を解析し，ルールに基づき通過または拒否する機能です。

④＿＿＿＿＿＿＿＿＿＿＿＿は，有害サイトをブロックする機能です。

Webアプリケーションに起因する脆弱性への攻撃を遮断するファイアウォールが⑤＿＿＿＿＿です。

⑥＿＿＿＿＿は，認証と暗号化などを利用して，公衆ネットワークをあたかも専用ネットワークのように利用する技術です。インターネットを使用する⑦＿＿＿＿＿＿＿＿＿＿や通信事業者の独自ネットワークを使用する⑧＿＿＿＿＿や⑨＿＿＿＿＿＿＿＿＿＿＿があります。

⑩＿＿＿＿＿は，外部ネットワークと内部ネットワークの両方から論理的に隔離されたネットワーク領域です。

⑪＿＿＿＿＿＿＿＿＿＿＿は，システムを実際に攻撃して，セキュリティの弱点を発見するためのテストです。

⑫＿＿＿＿＿サーバは，インターネットアクセスを代行します。

| 答え | ①ファイアウォール | ②UTM | ③パケットフィルタリング |
| --- | --- | --- | --- |
| | ④コンテンツフィルタリング | ⑤WAF | ⑥VPN |
| | ⑦インターネットVPN | ⑧IP-VPN | ⑨広域イーサネット |
| | ⑩DMZ | ⑪ペネトレーションテスト | |
| | ⑫プロキシ | | |

# 5 07 暗号化技術

## 暗号化技術

　ネットワーク経由のデータの送受信では，通信途中に①_____される危険があります。

　暗号化は，暗号化②_____と暗号化鍵（パスワード）を使って，人が容易に解読できる平文を容易に解読できない暗号文に変換することです。

| 答え | ①盗聴　　②アルゴリズム |
|---|---|

## 暗号方式の特徴

　共通鍵暗号方式には次の特徴があります。

* 暗号化鍵と復号鍵は①_____
* 鍵の配布と管理が②_____
* 共通の③_____鍵で暗号化して，共通の④_____鍵で復号する
* 暗号化/復号の処理が⑤____い
* 代表例は⑥_____

　公開鍵暗号方式には次の特徴があります。

* 暗号化鍵と復号鍵は⑦_____
* 鍵の配布と管理が⑧_____
* ⑨____信者の⑩_____鍵で暗号化して，⑪____信者の⑫_____鍵で復号する
* 暗号化/復号の処理が⑬____い
* 代表例はRSA・⑭_____

5

セキュリティ

共通鍵暗号方式と公開鍵暗号方式を組み合わせた方式が⑮_____
_____暗号方式です。

| 答え | ①共通 ②煩雑 ③秘密 ④秘密 ⑤速 ⑥ AES<br>⑦対の鍵 ⑧容易 ⑨受 ⑩公開 ⑪受 ⑫秘密<br>⑬遅 ⑭楕円曲線暗号 ⑮ハイブリッド |
|---|---|

## 🐛 プチ問題

次の記述は○か×か？

| | |
|---|---|
| 公開鍵暗号方式では，暗号化鍵／復号鍵ともに公開して自由に使えるようにする。 | ①____ |
| 共通鍵暗号方式は，特定の相手との情報のやりとりに適している。 | ②____ |
| 共通鍵暗号方式では，暗号化するための鍵をどのようにして安全に配送するかの工夫が必要である。 | ③____ |
| データを暗号化して通信することによって，データの破壊や改ざんを防ぐことができる。 | ④____ |
| ハイブリッド暗号方式では，暗号化するための鍵を安全に配送することができる。 | ⑤____ |
| 5人が相互に暗号化通信する場合，共通鍵暗号方式で必要な鍵の数は，公開鍵暗号方式で必要な数と同じ10個になる。 | ⑥____ |

| 答え | ①× ②○ ③○ ④× ⑤○ ⑥○ |
|---|---|

## デジタル署名

デジタル署名は,「電子文書を作成したのは①_____であることを確認できる」のと同時に,「電子文書の内容が②_____されていないことを確認できる」仕組みです。

デジタル署名は,「③___信者の④_____鍵」で署名生成し,対となる「⑤___信者の⑥_____鍵」で署名検証します。

電子文書の改ざん検知には,その文書を⑦_____します。

| 答え | ①本人 | ②改ざん | ③送 | ④秘密 |
|------|-------|---------|-----|-------|
|      | ⑤送   | ⑥公開   | ⑦ハッシュ化 | |

## 公開鍵基盤

①_____(②_____)は,信頼できる第三者機関であり,本人からの申請に基づいてデジタル証明書を発行して,③_____鍵の正当性を証明しています。何らかの原因で失効した証明書の一覧表(④_____)も発行しています。

認証局や公開鍵暗号方式などの仕組みを使って,インターネット上で安全な通信ができるセキュリティ基盤のことを⑤_____(公開鍵基盤)といいます。

| 答え | ①認証局 | ②CA | ③公開 | ④CRL | ⑤PKI |
|------|---------|------|-------|-------|-------|

5

セキュリティ

## SSL

SSL は，①_____とWebブラウザ間の通信を暗号化して，盗聴や改ざんを防ぐプロトコルです。②_____は全てのWebページをSSL化することです。

③_____は，SSLをベースに標準化したもので，④_____とまとめて呼ぶこともあります。

| 答え | ① Web サーバ | ②常時 SSL 化 | ③ TLS | ④ SSL/TLS |
|------|------------|------------|-------|-----------|

## 暗号の応用

①_____は，デジタル証明書を使用して，メールソフト間で電子メールを安全に送受信するための規格です。

②_____は，電子文書が，ある日時に確かに存在していたこと，またその日時以降に改ざんされていないことを証明する仕組みのことです。

③_____は，PCの起動時に，ソフトウェアのデジタル署名を検証し，信頼のおけるものだけを動作できるようにすることで，OS起動前のマルウェアの実行を防ぐものです。

④_____は，PCなどに組み込むセキュリティチップのことです。

外部から不正アクセスや改ざんされにくい性質を⑤_____といいます。

| 答え | ① S/MIME | ②タイムスタンプ | ③セキュアブート |
|------|----------|--------------|--------------|
|      | ④ TPM | ⑤耐タンパ性 | |

# 第6章

## データベース
### 〔テクノロジ系〕

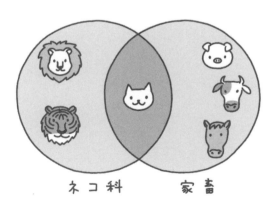

ネコ科　　家畜

# 6 01 データベースと データ操作

## 関係データベース

①_____は，一定の規則に従い，関連性のあるデータを蓄積したものをいいます。

データベース管理システム（②_____）は，複数の利用者で大量のデータを共同利用できるように管理するソフトウェアです。

現在最も使われているのが関係データベースで，データの集まりを二次元の③____形式で表します。関係データベースの表は，④____と⑤____で構成されます。操作するのに，⑥_____という言語が使われます。

⑦_____は，関係データベースとは異なる方法で処理するデータベース全般を指し，ビッグデータの保存や解析などを目的としています。

次のようなものがあります。

| | |
|---|---|
| ⑧_____型 | 保存したいデータと識別キーを組みとして管理する |
| ⑨_____指向型 | 項目を自由に追加できる |
| ⑩_____指向型 | ドキュメント1件が一つのデータとなる |
| ⑪_____指向型 | ノード間を方向性のあるリレーションでつないで構造化する |

| 答え | ①データベース ②DBMS ③表 ④行 ⑤列 ⑥SQL ⑦NoSQL ⑧キーバリューストア ⑨カラム ⑩ドキュメント ⑪グラフ |
|---|---|

## データベースの応用

①＿＿＿＿＿＿＿＿＿＿＿＿は，多種多様な大量のデータを時系列に整理・統合して蓄積しておき，意思決定支援などに利用するデータベースのことです。

②＿＿＿＿＿＿＿＿＿は，集められたデータを分類・加工・分析して活用することによって，企業の意思決定の迅速化を支援する手法のことです。

③＿＿＿＿＿＿＿＿＿は，あらゆるデータを発生したままの形で格納しておく保管場所です。

④＿＿＿＿＿＿＿＿＿＿＿＿＿は，企業内に保存されている様々な情報を一括して管理し，必要な情報を検索・抽出できるシステムのことです。

⑤＿＿＿＿＿＿＿＿＿＿＿は，データの誤りや欠損を修正し，表記を統一して分析しやすい状態にすることです。

| 答え | ①データウェアハウス ②BIツール ③データレイク<br>④エンタープライズサーチ ⑤データクレンジング |
|---|---|

## データベースの演算

関係データベースの表から目的のデータを取り出す演算として，①＿＿＿＿演算と②＿＿＿＿演算があります。

| ③＿＿＿＿ | 表の中から指定した列を抽出する |
|---|---|
| ④＿＿＿＿ | 表の中から指定した行を抽出する |
| ⑤＿＿＿＿ | 複数の表から一つの表を生成する |
| ⑥＿＿＿ | 二つの表にある全ての行を取り出す。同じ行は一つにまとめる |
| ⑦＿＿＿ | 二つの表に共通している行を取り出す |
| ⑧＿＿＿ | 一方の表から他方の表を取り除く |

6
データベース

| 答え | ①関係 ②集合 ③射影 ④選択 ⑤結合 ⑥和 |
|------|------------------------------------------|
|      | ⑦積 ⑧差 |

> ### 🐾 知っ得情報 `SQL`
>
> 選択・射影・結合などのデータベースの操作や，データベースそのものを作成したりするときに使われるのが，SQLです。
>
> よく使われるのがSELECT文で，例えば商品表から，商品番号が010である商品名を抽出したいときは，「SELECT 商品名 FROM 商品表 WHERE 商品番号＝'010'」のように命令します。

## 🐱 プチ問題

次の表から，演算をしてみよう。

社員表A

| 社員番号 | 社員名 |
|----------|--------|
| 001 | 藤原 |
| 002 | 柏原 |

社員表B

| 社員番号 | 社員名 |
|----------|--------|
| 002 | 柏原 |
| 003 | 田中 |

保持資格表

| 社員番号 | 資格記号 |
|----------|----------|
| 001 | IT |
| 003 | FA |

・ 社員表Bと社員表Aを差演算（B－A）した結果，取り出されるのは社員番号①_____，社員名②_____の行である。
・ さらにその結果と保持資格表を結合した結果，取り出される行の資格記号は③_____である。

| 答え | ① 003 ②田中 ③FA |
|------|----------------------|

## 🐌 データベース設計

　表中の行を一意に識別するための列のことを①_____といい，一つの表中では，同一の値は存在しません（②_____制約）。また，空値（③_____）は設定できず，必ず値が入力されている必要があります。一つの列で行を一意に特定できないときは，複数の列を組み合わせた④_____とします。

　⑤_____は，他の表の主キーを参照している列のことで，他の表に存在する値だけが入力できる⑥_____制約があります。

　関係データベースでは，各表を主キーと外部キーで関係付けています。この関係付けのことを⑦_____といいます。

　⑧_____は，検索を高速に行う目的で，必要に応じて設定し，利用する索引のことです。

　⑨_____は，対象世界を構成する実体と実体間の関連を視覚的に表した図のことです。実体のことを⑩_____，実体間の関連のことを⑪_____といいます。

| 答え | ①主キー | ②一意性 | ③ NULL | ④複合主キー |
| --- | --- | --- | --- | --- |
| | ⑤外部キー | ⑥参照 | ⑦リレーション | ⑧インデックス |
| | ⑨ E-R 図 | ⑩エンティティ | ⑪リレーションシップ | |

# 6 03 データの正規化

## データの正規化

データの正規化は，必要なデータ項目を整理して，データの不整合や①_____が発生しないように表を②_____することです。

非正規形の表を，次の手順で正規化します。

③_____項目の排除と計算で求められる項目の削除を行い（第1正規形），主キーの④_____の項目によって決まる項目を別の表に分離し，（第2正規形），⑤_____以外の項目によって決まる項目を，別の表に分離します（第3正規形）。

| 答え | ①重複 | ②分離 | ③繰返し | ④一部 | ⑤主キー |
|------|-------|-------|---------|-------|---------|

---

### 知っ得情報 ◀ 正規化と計算項目

例えば，年齢のように，生年月日があれば必ず計算で求められるようなものは，データベースの項目としてはもたずに必要時に表示するほうが誤りが発生しません。

では，消費税額のようなものはどうでしょうか。消費税の税率は，変更されることも，一律の税率でなくなることもあります。このような場合は，消費税額を計算で表示するのではなく，税率表を別途用意し，種別や取引月日に応じて消費税額を計算して記録した項目をもっておくほうがよさそうです。つまり，計算式が変更されるかどうかで，項目としてもつかどうかを考えます。

## 🐨 プチ問題

次の記述は○か×か？

| | |
|---|---|
| データベースを適切に正規化して表Aと表Bに分けた場合，表Aと表Bは共通する項目を必ず持つ。 | ①_____ |
| データベースを適切に正規化すれば，表の数を減らすことができ，データの矛盾の発生を防ぐことができる。 | ②_____ |
| データベースを正規化しないと，同じ内容のデータを大量にもつことになる。 | ③_____ |

| 答え | ①○ | ②× | ③○ |
|---|---|---|---|

**6**

データベース

# データの抽出と論理演算

## 論理演算

　論理演算は，「①＿＿＿と②＿＿＿」または「③＿＿＿と④＿＿＿」のように，2値のうちいずれか一方の値を持つデータ間で行われる演算です。

　論理演算は，入力と出力の結果を表にまとめた⑤＿＿＿＿＿＿で表現したりします。⑥＿＿＿＿＿で考えると理解しやすくなります。

| 答え | ①真 | ②偽 | ③1 | ④0 | ⑤真理値表 | ⑥ベン図 |
|------|-----|-----|-----|-----|-----------|---------|

## 主な演算

　①＿＿＿＿（②＿＿＿＿）は，入力 (A，B) の少なくとも一方が1であれば，出力 (A＋B) は1となる演算です。

　③＿＿＿＿（④＿＿＿＿）は，入力 (A，B) の両方が1であれば，出力 (A・B) は1となる演算です。

　⑤＿＿＿＿（⑥＿＿＿＿）は，入力 (A) が0であれば出力 ($\overline{A}$) は1，入力 (A) が1であれば出力 ($\overline{A}$) は0になる演算です。

| 答え | ①論理和 | ②OR | ③論理積 | ④AND | ⑤否定 | ⑥NOT |
|------|---------|-----|---------|-------|-------|-------|

## 演算の組合せ

①_____（②_____）は，入力（A，B）が異なれば，出力
（A⊕B）は１となる演算です。

| 答え | ①排他的論理和 | ② XOR |
|------|------|------|

## プチ問題

　ワイルドカードを使って文字列を検索したい。ここでは，０個以上
の任意の文字を＊で，１個の任意の文字を？で代用する。

・「アクセス」という単語を含むすべての文字列を検索したいときは，
　①_____と表現する。
・「富士＊市中？」で，「富士市中央町」は検索され②_____。「富士見
　市中央」は検索され③_____。

| 答え | ①＊アクセス＊ | ②ない | ③る |
|------|------|------|------|

**6**

データベース

# データの整列と集計

## 🐛 データの整列

　整列 (ソート) は，データをある特定の規則に従い，並べ替えることです。値が小さい順に並べる (小→大) ①_____と値が大きい順に並べる (大→小) ②_____があります。

　③_____ (ソートキー) は，データを整列するときの基準となる列のことです。

| 答え | ①昇順 | ②降順 | ③整列キー |
|------|------|------|--------|

## 🐛 プチ問題

　Fさんは，先月1か月間の商品別売上実績を表にまとめることにした。販売実績データを基に，商品別の月間売上実績を算出するには，以下の3つの作業をどの順番で行ったらよいか。

　A　商品名称を基に，データを整列する。
　B　同一の商品名称の金額の合計を求める。
　C　販売日付を基に，先月に販売のある商品のデータを抽出する。

　①_____　→　②_____　→　③_____

| 答え | ①C | ②A | ③B |
|------|-----|-----|-----|

# トランザクション処理

## トランザクション処理

　①_____処理は，一連の切り離すことができない複数の処理のことです。もし一連の処理の更新中に異常が発生してしまった場合は，その全ての処理を破棄して更新前の状態に戻す必要があります。異常なく更新できたら全ての結果を確定（②_____）します。

　③_____（同時実行制御）は，複数のトランザクションが同一のデータを同時に更新するときに，データの不整合が生じないように制御する機能のことです。このときのデータへのアクセスを制限することを④_____といいます。複数のトランザクションが，互いに相手のロックの解除を待ち続けて処理が止まる現象を⑤_____といいます。

| 答え | ①トランザクション　　②コミット　　③排他制御　　④ロック ⑤デッドロック |
|------|------|

## データベースの障害

　①_____は，ある時点のデータベースの内容を複製したファイルです。

　②_____は，データベースの更新前や更新後の値を書き出して，データベースの更新履歴を記録したファイルです。

　③_____は，記憶媒体の障害時に，バックアップファイルからデータを復元してバックアップした時点までデータを戻し，それ以降のログファイルの更新後ログを反映させ，障害発生直前の状態

6
データベース

にまで復旧させる方法です。

　④_____は，トランザクションが正常に処理されなかったときに，ログファイルの更新前ログを反映させ，トランザクション開始直前の状態まで復旧させる方法です。

　⑤_____特性は，トランザクション処理に求められる特性のことで，⑥_____，一貫性，独立性，耐久性の四つがあります。

　⑦_____は，サーバのデータを他のサーバに複製し，同期をとって，可用性や性能の向上を図る仕組みのことです。

　⑧_____データベースは，データベースを複数の場所に分散させ，一つの大きなデータベースとして制御する方式です。データの整合性をとるため，⑨_____という方法がとられます。

| 答え | ①バックアップファイル | ②ログファイル | ③ロールフォワード |
|---|---|---|---|
| | ④ロールバック | ⑤ACID | ⑥原子性 |
| | ⑦レプリケーション | ⑧分散型 | ⑨2相コミット制御 |

# 第 **7** 章

# アルゴリズムと
# プログラミング

## 〔テクノロジ系〕

## アルゴリズム

　①_____は，コンピュータに与える問題を有限の時間で解決するための処理手順のことです。視覚的に表現した図のことを②_____（流れ図）といいます。

| 答え | ①アルゴリズム　　②フローチャート |
| --- | --- |

## フローチャート

　以下のような記号でアルゴリズムを記述します。

| 記　号 | 名　称 | 説　明 |
| --- | --- | --- |
| ⬭ | 端子 | 処理の①_____と②_____ |
| ▭ | 処理 | 任意の種類の処理 |
| ◇ | ③_____ | 二つ以上に分岐する判定 |
| ⬡ | ループ端 | ④_____の開始と終了 |
| ─── | 流れ線 | データまたは制御の⑤_____ |

　アルゴリズムは，⑥_____（Aの次にBをする），⑦_____（もしCだったらDをする），⑧_____（Eの間繰り返す）という三つの制御構造を用いて作成します。処理をする前に繰り返すかどうかを判定する⑨_____と，処理をした後に繰り返すかどうかを判定す

る⑩_____があります。

⑪_____プログラミングでは，順次・選択・繰返しの基本構造を組み合わせます。

| 答え | ①開始　②終了　③判断　④繰返し　⑤順序　⑥順次 |
|------|------------------------------------------------|
|      | ⑦選択　⑧繰返し　⑨前判定繰返し　⑩後判定繰返し　⑪構造化 |

## データ構造

コンピュータに処理手順を与えると，主記憶上に①_____と呼ばれるデータを格納するための領域が用意され，その値を変化させながら処理手順どおり実行していきます。変数の変化を確認することを②_____といいます。

③_____は，同じ型を表形式で扱うことができる構造です。

④_____は格納した順にデータを取り出すことができるデータ構造で，⑤_____は格納した順とは逆の順にデータを取り出すことができるデータ構造です。

⑥_____は，階層の上位から下位に節点をたどることで，データを取り出すことができるデータ構造です。

⑦_____は，ポインタをたどることで，データを取り出すことができるデータ構造です。

| 答え | ①変数　②トレース　③配列　④キュー |
|------|------------------------------------|
|      | ⑤スタック　⑥木構造　⑦リスト |

**7**

アルゴリズムとプログラミング

## 擬似言語

| | |
|---|---|
| ①＿＿＿手続名または関数名 | 手続又は関数を宣言する |
| ②＿＿＿＿＿＿　変数名 | 変数を宣言する |
| /* 注釈 */ または③＿＿＿＿　注釈 | 注釈を記述する |
| 変数名 ④＿＿＿　式 | 変数に式の値を代入する |
| 手続名または関数名 (引数, …) | 手続又は関数を呼び出し，引数を受け渡す |
| if (条件式1)<br>　処理1<br>elseif (条件式2)<br>　処理2<br>else<br>　処理3<br>endif | ⑤＿＿＿＿＿処理を示す。<br>条件式を上から評価し，最初に⑥＿＿＿になった条件式に対応する処理を実行する。条件を満たさない場合は⑦＿＿＿＿＿＿＿＿のの処理を実行する |
| while (条件式)<br>　処理<br>endwhile | ⑧＿＿＿＿＿＿繰返し処理を示す。条件式が真の間，処理を繰返し実行する |
| do<br>　処理<br>while (条件式) | ⑨＿＿＿＿＿＿繰返し処理を示す。処理を実行し，条件式が真の間，処理を繰返し実行する |
| ⑩＿＿＿＿＿＿ (制御記述)<br>　処理<br>endfor | 繰返し処理を示す。<br>制御記述の内容に基づいて，処理を繰返し実行する |

　一般的なプログラム言語では，最初に⑪_____をし，変数に
代入する値の種類を⑫____として指定します。

| 答え | ①○ | ②型名： | ③// | ④← |
|---|---|---|---|---|
| | ⑤選択 | ⑥真 | ⑦else | ⑧前判定 |
| | ⑨後判定 | ⑩for | ⑪変数の宣言 | ⑫型 |

## 関数

　関数は，与えられた値をもとに，関数内の定められた処理を実行し
て，その①_____を返す機能を持ったものです。
　呼び出される関数に渡す値は②_____，呼び出し元に返す値は，
③_____（返り値）と呼ばれています。

| 答え | ①結果 | ②引数 | ③戻り値 |
|---|---|---|---|

**7**

アルゴリズムとプログラミング

## プログラム言語

　プログラム言語には，0と1だけの機械語または機械語に近い形式で記述した①＿＿＿＿＿＿＿と，人が理解しやすい自然言語に近い形式で記述した②＿＿＿＿＿＿＿があります。

| 低水準言語 | |
|---|---|
| ③＿＿＿＿＿＿ | 機械語を1対1で記号に置き換えた言語 |
| 高水準言語 | |
| ④＿＿＿言語 | システム記述に適した言語 |
| ⑤＿＿＿＿＿ | C言語にオブジェクト指向の概念を取り入れた言語 |
| ⑥＿＿＿＿＿ | オブジェクト指向型言語 |
| ⑦＿＿＿＿＿ | AIなどの開発に適したスクリプト言語 |
| ⑧＿＿ | 統計分析やデータの可視化に特化した言語 |
| ⑨＿＿ | Googleが開発した，軽量な並列処理ができる言語 |

　オブジェクト指向型言語は，オブジェクトと呼ばれる部品でソフトウェアを構成します。オブジェクトは，データと手続き（メソッド）を一体化（⑩＿＿＿＿＿＿＿）したものです。

　⑪＿＿＿＿＿＿＿は，コンピュータに与える命令を，プログラム言語を用いて記述したものです。⑫＿＿＿＿＿＿＿は，ソースコードを1命令ずつ翻訳して実行するソフトウェアで，⑬＿＿＿＿＿＿＿はソースコードを一括して翻訳するソフトウェアです。

　⑭＿＿＿＿＿＿＿，⑮＿＿＿＿＿＿＿は，ソースコードの記述を少なくす

るか，まったく書かずにアプリケーションを作るツールです。

| 答え | ①低水準言語 | ②高水準言語 | ③アセンブラ | ④C |
|---|---|---|---|---|
| | ⑤C++ | ⑥Java | ⑦Python | ⑧R |
| | ⑨Go | ⑩カプセル化 | ⑪ソースコード | ⑫インタプリタ |
| | ⑬コンパイラ | ⑭ローコード | ⑮ノーコード | |

## 🐌 マークアップ言語

マークアップ言語は，①_____と呼ばれるマークを使って，文書の論理構造や属性を指定する言語のことです。

②_____は文書の電子化を目的に，ISOの国際規格に制定されたマークアップ言語です。

③_____は利用者独自のタグが定義できるマークアップ言語です。

④_____は，テキスト形式で可読性が高い，データ交換用の形式です。

⑤_____は，Webページを記述するためのマークアップ言語で，これで記述された文書にレイアウトスタイルを定義するための標準仕様が⑥_____です。端末の画面サイズに応じて最適に表示されるように自動調整できるデザインを⑦_____といいます。

⑧_____は，単独では動作せず，Webブラウザなどのアプリケーションに組み込んで機能を拡張するソフトウェアです。

⑨_____は，ニュースサイトやブログなどの見出しや要約，更新時刻などを記述したXMLベースの文書形式です。

| 答え | ①タグ | ②SGML | ③XML | ④JSON | ⑤HTML |
|---|---|---|---|---|---|
| | ⑥CSS | ⑦レスポンシブデザイン | | ⑧プラグイン | ⑨RSS |

**7**

アルゴリズムとプログラミング

## プチ問題

次の記述は○か×か？

| | |
|---|---|
| Javaで開発したプログラムを実行するためには，ブラウザが必要である。 | ①_____ |
| XMLでは，タグを任意に定義することができるため，企業間取引などのフォーマットとしても使われる。 | ②_____ |
| RSSは，Webサイトの見出しや要約などを記述するフォーマットであり，Webサイトの更新情報の公開に使われる。 | ③_____ |
| Javaで作成されたプログラムは，特定のCPUに依存することなく実行できる。 | ④_____ |
| コンパイラで変換されるプログラムは，最終的には機械語に変換され実行される。 | ⑤_____ |

| 答え | ①× | ②○ | ③○ | ④○ | ⑤○ |
|---|---|---|---|---|---|

# 第 8 章

# マネジメント
## 〔マネジメント系〕

## 🎵 SLCP

　SLCPには，①_____→②_____→開発→運用→③_____というプロセスがあります。

　ソフトウェア開発作業全般にわたって「共通の物差し」となるガイドラインが④_____です。

　⑤_____プロセスでは，経営上のニーズやシステムの将来像に基づいたシステム化の方針である⑥_____や，管理体制，スケジュールなどを具体化する⑦_____を立案します。

　⑧_____は，投資額に対する利益の割合を表した指標です。

　⑨_____プロセスでは，情報システムの機能や性能を明らかにして，利害関係者間で合意します。業務上実現すべき要件である⑩_____要件を整理・把握し，その実現のために必要なシステムの機能である⑪_____要件を定義します。あわせて，機能要件以外の性能や稼働時間，セキュリティなどの⑫_____要件を定義します。

| 答え | ①企画 | ②要件定義 | ③保守 | ④共通フレーム |
| --- | --- | --- | --- | --- |
| | ⑤企画 | ⑥システム化構想 | ⑦システム化計画 | ⑧ROI |
| | ⑨要件定義 | ⑩業務 | ⑪機能 | ⑫非機能 |

## 調達

情報提供依頼書（①_____）は，ベンダ企業に対して，ベンダの実績や技術動向などの情報提供を依頼する文書です。

提案依頼書（②_____）は，③_____が作成します。ベンダ企業に対して，導入システムの基本方針や概要，実現すべき機能，調達条件などを提示し，提案書の提出を依頼する文書です。

④_____は，ベンダ企業が作成し，開発体制やシステム構成，開発手法などを提案します。

⑤_____は，ベンダ企業が作成し，システムの開発や運用，保守などにかかる費用を提示します。

⑥_____は，「完成品を納めます」という意味，⑦_____は「確かに受け取りました」という意味の書類です。

⑧_____は，企業間でお互いに知り得た相手の秘密情報の守秘義務について定める契約です。

| 答え | ① RFI　　②RFP　　③依頼元　　④提案書　　⑤見積書 |
|---|---|
| | ⑥納品書　　⑦検収書　　⑧NDA |

**8**
マネジメント

## プチ問題

次の記述は○か×か？

| 要件定義プロセスには，利用者は参加しない。 | ①____ |
|---|---|
| 見積書には，具体的な金額は記載しない。 | ②____ |
| 365日，24時間Webサーバを稼働させたい。これは非機能要件で定義する。 | ③____ |

| 答え | ①×　　②×　　③○ |
|---|---|

# 開発プロセス

## 開発プロセス

システム開発プロセスでは，開発者が利用者の要件を取り入れながら，次のような各工程を順番に実施していきます。

| ①＿＿＿＿＿＿ | システム化する対象範囲を明確にし，システムに要求される機能や性能などを定義 |
|---|---|
| ②＿＿＿＿＿＿ | システムを構成するソフトウェアに要求される機能や性能，インタフェースなどを定義 |
| ③＿＿＿＿＿ | 開発者がシステム要件をシステムでどのように実現できるかを検討 |
| ④＿＿＿＿＿＿ | 開発者の視点から，ソフトウェア要件をソフトウェアでどのように実現できるかを検討 |
| ⑤＿＿＿＿＿＿ | 開発者がソフトウェア詳細設計書に基づき，プログラムを作成 |

⑥＿＿＿＿＿＿は，定義書や設計書の不備や誤りを早期に発見する目的で，工程ごとに行われる検討会議のことです。開発者と利用者が共同で行うものは⑦＿＿＿＿＿＿といいます。

| 答え | ①システム要件定義　②ソフトウェア要件定義　③システム設計 ④ソフトウェア設計　⑤ソフトウェア構築　⑥レビュー ⑦共同レビュー |
|---|---|

# ソフトウェアの品質

| ①_____性 | 仕様書どおりに操作ができ，正しく動作すること |
| ②_____性 | 利用者にとって，理解や習得，操作がしやすいこと |
| ③_____性 | 必要時に使用でき，故障時にすぐ回復できること |
| ④_____性 | 処理時間など求められる性能が備わっていること |
| ⑤_____性 | プログラムの修正がしやすいこと |
| ⑥_____性 | ある環境から他の環境へ移しやすいこと |

⑦_____規約は，プログラム内の変数名の付け方やコメントの書き方など，標準的な記述のルールのことです。

⑧_____は，システムの企画・設計段階でセキュリティ対策を組み込む考え方です。

| 答え | ①機能　　②使用　　③信頼　　④効率　　⑤保守　　⑥移植 |
|---|---|
| | ⑦コーディング　　　　⑧セキュリティバイデザイン |

**8**
マネジメント

111

# 8 03 テスト手法と運用・保守プロセス

## 🐌 テスト

　プログラムを構成する①＿＿＿＿＿＿＿＿単位に行うテストを②＿＿＿＿テストといいます。

　③＿＿＿＿＿＿＿＿＿＿テストは，モジュールの内部構造に着目して行うテストをいい，主に開発者が実施します。

　④＿＿＿＿＿＿＿＿＿＿テストは，モジュールが仕様を満たしているか着目して行うテストをいいます。

　⑤＿＿＿＿＿テストは，開発者が，プログラム間のインタフェースが仕様どおりに作成され，整合していることを検証します。

　⑥＿＿＿＿＿＿＿テストは，システム全体の機能や性能を検証し，システム要件を満たしていることを検証します。

　⑦＿＿＿＿＿テストは，⑧＿＿＿＿＿＿が主体となり，実際に本番環境下でシステムを運用して，業務の運用が実施できることを検証します。

　⑨＿＿＿＿＿＿＿テストは，利用者が納品されたシステムやソフトウェアを受け入れるかどうかを検証することです。

　⑩＿＿＿＿＿＿＿＿＿＿は，保守稼働中のソフトウェアに対して，発見された障害の是正や，仕様変更，法改正などに対応することです。

　⑪＿＿＿＿＿＿＿＿テストは，修正箇所が他の正常箇所に影響を及ぼしていないことを検証することです。

| 答え | ①モジュール | ②単体 | ③ホワイトボックス |
| --- | --- | --- | --- |
| | ④ブラックボックス | ⑤結合 | ⑥システム |
| | ⑦運用 | ⑧利用者 | ⑨受入れ |
| | ⑩ソフトウェア保守 | ⑪レグレション | |

# ソフトウェア開発手法

## ソフトウェア開発手法

①＿＿＿＿＿＿＿＿＿＿モデルは，上位工程から下位工程へ順番に進め
ていく開発手法のことをいいます。開発全体の進捗が把握しやすいで
すが，②＿＿＿＿＿＿が発生すると，それにかかるコストと時間が膨大
になります。③＿＿規模なシステム開発に向きます。

| 答え | ①ウォータフォール | ②仕様変更 | ③大 |
|---|---|---|---|

## アジャイル開発

アジャイル開発は，短い①＿＿＿＿＿＿を繰り返し，段階的にシステ
ム全体を完成させていく開発手法です。仕様変更に対応できますが，
開発全体の進捗が把握しにくいです。②＿＿規模なシステム開発に向
きます。

XPは，③＿＿＿＿＿＿＿＿と呼ばれる短いサイクルで，動作するプ
ログラムを作成することを繰り返します。2人1組となってプログラ
ミングをする④＿＿＿＿＿＿＿＿＿＿，外部仕様を変えずプログラム
の内部構造を変更する⑤＿＿＿＿＿＿＿＿，テストケースを先に設
定する⑥＿＿＿＿＿＿＿＿＿が特徴です。

⑦＿＿＿＿＿＿開発もスプリントと呼ばれる短いサイクルで動作するプ
ログラムを作成することを繰り返します。⑧＿＿＿＿＿＿の高い機能か
ら作成する，毎日ミーティングするという特徴があります。スプリン
トの終わりのふりかえりを⑨＿＿＿＿＿＿＿＿＿＿といいます。

| 答え | ①開発工程　　　　　　②小　　　　　　　　③イテレーション<br>④ペアプログラミング　⑤リファクタリング　⑥テストファースト<br>⑦スクラム　　　　　　⑧優先順位　　　　　⑨レトロスペクティブ |
| --- | --- |

## その他の開発手法

①＿＿＿＿＿＿＿＿＿＿＿モデルは，試作品を作成して，利用者の確認を得ながら開発を進めていく開発手法です。

②＿＿＿＿＿＿＿＿モデルは，サブシステムごとに要件定義や設計，開発，テストを繰り返しながら段階的にシステムを完成させていく開発手法です。

③＿＿＿＿＿＿＿は，利用者の参画・少人数による開発・開発ツールの活用で短期間にシステムを完成させていく開発手法です。

④＿＿＿＿＿＿＿＿は，開発部門と運用部門が緊密に連携してシステムの改善を進めようという考え方です。

⑤＿＿＿＿＿＿＿＿＿＿＿＿＿＿＿は，既存のプログラムを解析して，プログラムの仕様と設計書を取り出す開発手法です。

| 答え | ①プロトタイピング　　　②スパイラル　　　　　③ RAD<br>④ DevOps　　　　　　　⑤リバースエンジニアリング |
| --- | --- |

## ソフトウェアの見積もり

①＿＿＿＿＿＿＿＿＿＿＿＿＿は，画面数などからソフトウェアの機能を定量的に把握して重み付けを加えて見積もる手法です。

②＿＿＿＿＿＿＿＿は，過去の実績値に基づいて，ソフトウェアの開発工程や開発費用などを見積もる手法です。

③＿＿＿＿＿＿＿の単位は，人月や人日，ステップなどがあります。

| 答え | ①ファンクションポイント法　　②類推見積法　　　③開発工数 |
| --- | --- |

# プロジェクトマネジメント

## 🫧 プロジェクトマネジメント

　①＿＿＿＿＿＿＿＿は，決められた期間の中で目標を定めて活動することです。プロジェクトは，プロジェクトを管理・統括する責任者の②＿＿＿＿＿＿＿＿＿＿＿＿と構成員である③＿＿＿＿＿＿＿＿＿，プロジェクトの利害関係者である④＿＿＿＿＿＿＿（社員や顧客，株主，地域など）から構成されます。

　プロジェクトマネージャは，目標や効果を盛り込んだ⑤＿＿＿＿＿＿＿＿＿＿＿＿＿＿＿を作成します。

　⑥＿＿＿＿＿＿は，プロジェクトマネジメントの知識を体系化したもので，事実上の標準（⑦＿＿＿＿＿＿＿＿＿＿＿＿＿＿）となっています。

| 答え | ①プロジェクト | ②プロジェクトマネージャ |
|---|---|---|
| | ③プロジェクトメンバ | ④ステークホルダ |
| | ⑤プロジェクト憲章 | ⑥ PMBOK |
| | ⑦デファクトスタンダード | |

## 🫧 プロジェクトマネジメントの知識エリア

　プロジェクト①＿＿＿＿＿＿マネジメントは，プロジェクトの当初の予算と進捗状況から，費用が予算内に収まるように管理する分野です。

　プロジェクト②＿＿＿＿＿＿マネジメントは，全体スケジュールを作成し，進捗状況や変更要求に応じてスケジュールを管理する分野です。

　プロジェクト③＿＿＿＿マネジメントは，プロジェクトの人的・物的資源の割当てなどを管理する分野です。

　プロジェクト④＿＿＿＿マネジメントは，成果物に求められる品質要

求事項や品質標準を定義する分野です。

　プロジェクト⑤_____マネジメントは，プロジェクトの制約条件である対象範囲・予算・時間などを統合的に調整して管理する分野です。

　⑥_____は，プロジェクトマネジメントを支援する部署です。

　プロジェクト⑦_____マネジメントは，プロジェクトで実施する作業を定義する分野です。⑧_____は，プロジェクトで実施しなければならない全ての作業を洗い出し，階層構造にブレークダウンして整理した構成図です。最下位の作業を⑨_____といい，これに基づくコストの見積もりを⑩_____といいます。

| 答え | ①コスト | ②タイム | ③資源 | ④品質 | ⑤統合 |
| --- | --- | --- | --- | --- | --- |
| | ⑥プロジェクトマネジメントオフィス | | ⑦スコープ | | ⑧ WBS |
| | ⑨ワークパッケージ | | ⑩積み上げ法 | | |

### 知っ得情報　コンティンジェンシー

　コストを見積もる際は，コンティンジェンシー（予備費）を必ず考慮しておきます。プロジェクトを進行する際は，様々なトラブルが発生します。起こる可能性の高いトラブルは，あらかじめ織り込んでおくということです。

**確認問題 A** ▶ 令和元年度秋期　問38

　システム開発プロジェクトの開始時に，開発途中で利用者から仕様変更要求が多く出てプロジェクトの進捗に影響が出ることが予想された。品質悪化や納期遅れにならないようにする対応策として，最も適切なものはどれか。

ア　設計完了後は変更要求を受け付けないことを顧客に宣言する。

イ　途中で遅れが発生した場合にはテストを省略してテスト期間を短縮する。

ウ　変更要求が多く発生した場合には機能の実装を取りやめることを計画に盛り込む。

エ　変更要求の優先順位の決め方と対応範囲を顧客と合意しておく。

ア　顧客の業務上必須の仕様変更の場合，変更せざるを得ません。

イ　テストを省略すると稼働後に不具合が発生します。

ウ　機能自体の実装をとりやめると顧客の求めるシステムになりません。

エ　変更要求をすべて受け入れるとか，すべて却下するのではなく，どう判断するかの基準をあらかじめ顧客と合意しておきます。

**8**

マネジメント

**解答**

問題A：エ

# タイムマネジメント

## 工程管理

　①_____（PERT図）は，作業の順序や相互関係をネットワーク状に示した図です。②_____理論の応用例です。

　③_____は，全ての先行作業が完了し，最も早く後続作業を開始できる時点です。

　④_____は，全ての後続作業の日程が遅れないように，遅くとも先行作業が完了していなくてはならない時点です。

　⑤_____は，最早開始日と最遅開始日が等しい結合点を結んだ経路です。

　⑥_____は，作業別に作業内容とその実施期間を棒状に図示したものです。

| 答え | ①アローダイアグラム　②グラフ　　　　　　③最早開始日 |
| --- | --- |
| | ④最遅開始日　　　　⑤クリティカルパス　　⑥ガントチャート |

## プチ問題

　次の作業日数がかかるプロジェクトの日程管理について考えてみよう。

| 作　業 | 作業日数 | 先行作業 |
| --- | --- | --- |
| 作業A | 4 | なし |
| 作業B | 5 | なし |
| 作業C | 2 | なし |
| 作業D | 1 | A |
| 作業E | 4 | A |
| 作業G | 8 | C |
| 作業F | 4 | B，D |

(1) 先行作業がないのは作業①＿＿＿，②＿＿＿，③＿＿＿。最初の結合点から，これらの矢印が伸びる。

(2) 先行作業が共通している作業は，開始前の結合点で矢印が④＿＿＿＿＿する。先行作業が二つある作業の開始前の結合点で，二つの先行作業を示す矢印が⑤＿＿＿＿＿している。

(3) 先行作業欄にA，B，C，Dがあるが，⑥＿＿＿，⑦＿＿＿，⑧＿＿＿は先行作業欄にはない。これは，これらの作業が他の作業の先行作業になっていないこと＝これらの作業の後続作業はなく終結し，最後の結合点へ至ることを示す。

(4) アローダイアグラムと最早開始日・最遅開始日を書くと次のようになる。クリティカルパス上の作業は⑨＿＿＿＿＿＿＿であり，また，全体の作業日数は⑩＿＿＿＿＿日になる。

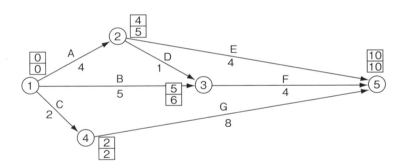

(5) 作業Aが完了してから作業Dを始めるまでの間，作業員を休ませたい。全体の日程を遅らせることのないようにするとき，現状では，⑪＿＿＿日休ませることができる。

| 答え | ①A | ②B | ③C | ④分岐 | ⑤合流 | ⑥E | ⑦F | ⑧G |
|---|---|---|---|---|---|---|---|---|
| | ⑨C→G | ⑩10 | ⑪1 | | | | | |

# ITサービス
# マネジメント

## ITサービスマネジメント

①_____のニーズに合ったITサービスを効果的に提供できるように管理することをITサービスマネジメントといいます。そのベストプラクティスが②_____です。

③_____は，サービス提供事業者と利用者間でサービスレベルの目標値を定め，取り交わされる合意書です。

④_____は，サービス提供事業者が，サービスレベルを継続的に維持・向上させるために，PDCAサイクル(Plan-Do-Check-Act)を実施していくマネジメント活動です。

| 答え | ①利用者 | ②ITIL | ③SLA | ④SLM |
| --- | --- | --- | --- | --- |

## 利用者の問合せに対する対応

①_____は，ITサービスを利用する利用者とITサービスを提供する事業者との間の単一窓口です。

問合せの多い内容とその回答は，②_____としてホームページに掲載し，利用者が問題を自己解決できるように支援します。最近では，自動応答技術を用いて実現された③_____と呼ばれるリアルタイムに会話形式で回答するツールが活用されています。

④_____は，ITサービスの品質低下を引き起こす，または引き起こす恐れのある出来事のことです。原因追究よりも業務の継続を優先するプロセスが⑤_____管理です。根本原因を究明するプロセスが⑥_____管理です。また，上位のスペシャリストに対応を

依頼することを⑦_____といいます。

　⑧_____管理は，情報システムの変更に伴う影響を様々な観点から検証・評価を行うプロセスです。

　⑨_____管理は，変更管理で承認された変更を本番環境に実装するプロセスです。

　⑩_____管理は，IT資産を正確に把握し，管理するプロセスです。

| 答え | ①サービスデスク ②FAQ ③チャットボット<br>④インシデント ⑤インシデント ⑥問題<br>⑦エスカレーション ⑧変更 ⑨リリース管理及び展開<br>⑩資産 |
|---|---|

## ファシリティマネジメント

　ファシリティマネジメントは，建物や①_____などの保有・運用・維持などを最適化するマネジメント活動のことです。電源の喪失対策に②_____を設置したり，地震対策に③_____を設置する，セキュリティ対策に④_____を実施するなどの施策があります。

　⑤_____は，電源の瞬断時や停電時に，システムを終了させるための一時的な電源を供給する装置のことです。

| 答え | ①設備 | ②自家発電装置 | ③免振床 | ④入退出管理 | ⑤UPS |
|---|---|---|---|---|---|

**8**

マネジメント

## システム監査

システム監査は，情報システムに関わる①_____対策が適切に整備・運用されているかを監査することです。

情報システムを監査する人をシステム監査人といい，監査対象とは関りをもたない②_____が③_____的な立場で調査し，最終的に監査結果をまとめて，監査の④_____に改善案を報告します。

経済産業省が作成した⑤_____は，情報システム管理の際に実施すべき事項で，⑥_____は，システム監査人の行為規範をまとめたものです。

システム監査は，次のような順で実施されます。

監査計画の策定→⑦_____→⑧_____→監査報告書の提出
　　　　　　　　　　→是正処置報告→⑨_____

⑩_____は，システム監査人が実態を調査し，収集した資料やデータのことで，監査の結論を裏付けるものです。

⑪_____は，システム監査人が行った監査業務の実施記録のことです。

| 答え | ①リスク | ②独立した第三者 | ③客観 |
| --- | --- | --- | --- |
| | ④依頼者 | ⑤システム管理基準 | ⑥システム監査基準 |
| | ⑦予備調査 | ⑧本調査 | ⑨フォローアップ |
| | ⑩監査証拠 | ⑪監査調書 | |

# 第 9 章

# 企業活動と法務
## 〔ストラテジ系〕

## 財務諸表1

企業の財政状態や経営成績を①＿＿＿＿＿＿＿＿＿＿へ報告するために作成される計算書類のことを②＿＿＿＿＿＿，企業の財務状態や経営成績を外部に公開することを③＿＿＿＿＿＿＿＿＿といいます。

また，親会社と子会社の会計を合算し，グループ間の取引を相殺（そうさい）した計算書類を④＿＿＿＿＿＿＿＿といいます。

⑤＿＿＿＿＿＿＿＿は，決算日における企業の資産・負債・純資産を記載したもので，企業の財政状態を明らかにします。1年以内に現金化できる資産は⑥＿＿＿＿＿＿といい，1年以上返済しなくてよい負債は⑦＿＿＿＿＿＿といいます。

負債の部は，⑧＿＿＿＿資本ともいい，純資産の部は⑨＿＿＿＿資本ともいいます。

なお，企業間の取引では，後で支払う代金を⑩＿＿＿＿＿＿，後で支払われる代金を⑪＿＿＿＿＿＿といいます。

| 答え | ①ステークホルダ | ②財務諸表 | ③ディスクロージャ |
|---|---|---|---|
| | ④連結財務諸表 | ⑤貸借対照表 | ⑥流動資産 |
| | ⑦固定負債 | ⑧他人 | ⑨自己 |
| | ⑩買掛金 | ⑪売掛金 | |

## 財務諸表2

①＿＿＿＿＿＿＿＿は，会計期間に発生した収益と費用によって，企業の経営成績を表示したものです。

②＿＿＿＿＿＿は売上総利益－販売費及び一般管理費で求め「本業の儲

け」を表します。③_____は営業利益に営業外収益を足し，営業外費用を引いたもので「本業以外も含めた通常業務での儲け」を表します。

④_____は，会計期間における現金の流れの状況を「営業活動」・「投資活動」・「財務活動」の三つに分けて表したものです。

⑤_____は，消費税控除のために必要な適格請求書です。

| 答え | ①損益計算書　　　　　②営業利益　　　　　③経常利益 ④キャッシュフロー計算書　　⑤インボイス |
|---|---|

## 指標

| ①_____ | 流動負債に対する流動資産の割合 |
|---|---|
| ②_____ | 自己資本に対する固定資産の割合 |
| ③_____ | 総資産に対する自己資本の割合 |
| ④_____ | 自己資本に対する当期純利益の割合（株主の投資が効率よく利益を生んでいるか） |
| ⑤_____ | 総資産に対する当期純利益の割合（資産を活用して効率よく稼いだか） |
| ⑥_____ | 売上高に対する売上総利益の割合（企業に競争力があるか） |
| ⑦_____ | 総資本に対する売上高（1年間の売上が総資本の何倍か） |

| 答え | ①流動比率　②固定比率　③自己資本比率　④ROE ⑤ROA　⑥売上総利益率　⑦総資本回転率 |
|---|---|

**9** 企業活動と法務

## 損益分岐点分析

費用のうち，売上に関係なく一定であるものは①_____，売上に比例して増減するものは②_____と呼ばれています。

利益＝売上高－総費用＝売上高－（固定費＋変動費）

③_____での利益は0であり，損益分岐点売上高は，変動費と固定費の和に等しくなります。

損益分岐点売上高＝④_____
変動費率＝⑤_____

| 答え | ①固定費 | ②変動費 | ③損益分岐点 |
|---|---|---|---|
| | ④固定費÷（1－変動費率） | ⑤変動費÷売上高 | |

## 在庫や資産の管理・評価

在庫評価の方法には，先に仕入れた商品から先に売れたものとみなす①_____，仕入の都度計算する②_____があります。

③_____は，平均在庫高に対する売上高を示した指標です。

部品や資材の発注方法として，在庫が基準を下回ったら一定量を発注する④_____発注方式と，一定の間隔で発注する⑤_____発注方式があります。

⑥_____は，資産の購入にかかった金額（⑦_____）を，一定の方法にしたがって，利用した年度ごとに減価償却費として計上して

いきます。毎年同じ金額を計上する⑧_____と，毎年同じ割合（償却率）の金額を計上する⑨_____があります。

⑩_____は，期待できる数値の平均値のことで，起こりうる事象の全ての場合の数値に，それぞれの確率をかけて足すことで求めることができます。

| 答え | ①先入先出法 | ②移動平均法 | ③在庫回転率 | ④定量 | ⑤定期 |
| | ⑥減価償却 | ⑦取得価額 | ⑧定額法 | ⑨定率法 | ⑩期待値 |

### 知っ得情報 ◀損益分岐点比率▶

損益分岐点比率は，売上高に対する損益分岐点売上高の割合をいいます。実際の売上高が同じでも，損益分岐点比率がより低い会社のほうが，より収益性が高く，安定している会社ということができます。売上高が100億あっても，損益分岐点比率が99％だったりすると，ぎりぎりで黒字をあげている会社となり，損益分岐点比率が70％だったりすると，大きな利益をあげている優良会社といえます。

## 🐱 プチ問題

・スマートフォン用のアプリケーションソフトを販売するため，外部企業に作成してもらった。この場合，法定耐用年数は①____年である。

・損益分岐点売上高では，②_____は0円である。

| 答え | ①3 | ②利益 |

## 知的財産権

知的財産権は，文化的な創造物を保護する権利の①_____と，産業の発展を保護する権利の②_____とに大別できます。

著作物の利用について，著作者が独占排他的に支配して利益を受ける権利が著作権です。プログラム言語や③_____，プロトコルは著作権の保護対象外ですが，④_____は保護対象です。企業所属の人物が業務上作成した場合はその⑤_____に，他社に作成を委託した場合は⑥_____の企業に著作権があります。

教員が他人の著作物を使って作成した教材をサーバに置いて教育に使う場合，⑦_____制度が適用されます。

産業財産権には以下のものがあります。

| ⑧_____権 | 新しい高度な発明を保護 |
|---|---|
| ⑨_____権 | 物品の構造・形状の考案を保護 |
| ⑩_____権 | 物品のデザインを保護 |
| ⑪_____権 | 商品やサービスに使用するマークを保護 |

⑫_____特許は，コンピュータやインターネットなどを活用した新しいビジネスの仕組みを対象とした特許です。

⑬_____は，技術上または営業秘密として管理されている情報を保護することを目的とした法律です。

⑭_____は，企業間共有で付加価値を生むデータです。

| 答え | ①著作権　　　　　　　②産業財産権　　　　　③アルゴリズム<br>④プログラム　　　　　⑤企業　　　　　　　　⑥委託先<br>⑦授業目的公衆送信補償金　⑧特許　　　　　　　⑨実用新案<br>⑩意匠　　　　　　　　⑪商標　　　　　　　　⑫ビジネスモデル<br>⑬不正競争防止法　　　⑭限定提供データ |
|---|---|

## ソフトウェアと使用許諾契約

　①_____は，プロダクトIDと利用者のハードウェア情報を使って，ソフトウェアのライセンス認証を行うことです。

　②_____契約は，月額や年額で利用料金を支払い，常に最新のバージョンが利用できる契約です。

　③_____契約は，ソフトウェアのパッケージの開封で利用許諾に同意したとみなす契約です。

　④_____は，大量購入者向けに，マスターを提供してインストールの許諾数をあらかじめ取り決める契約です。

　⑤_____は，特定の企業や団体などにある複数のコンピュータでの使用を一括して認める契約です。

　⑥_____は，クライアントサーバシステムにおいて，クライアントがサーバに接続してサーバの機能を利用する権利です。

　⑦_____は，音楽や電子書籍，映画などのデジタルコンテンツの著作権を守るための技術のことです。

　⑧_____は，1回だけ複製できるようにしたコピープロテクトの技術のことです。

　⑨_____は，コンテンツデータに，一見して分からないように著作権情報などを埋め込み，不正利用を検出可能にするものです。

| 答え | ①アクティベーション　②サブスクリプション　③シュリンクラップ<br>④ボリュームライセンス　⑤サイトライセンス　⑥CAL<br>⑦DRM　　　　　　　　⑧CPRM　　　　　　　⑨電子透かし |
|---|---|

## 🦫 プチ問題1

次の記述は○か×か？

| | |
|---|---|
| 官公庁が作った白書に掲載されていた統計データからグラフを作り，会社のWebサイトに掲載したが，これは著作権法違反ではない。 | ①＿＿＿ |
| 産業財産権とは，実用新案権，商標権，著作権，特許権の4つをさす。 | ②＿＿＿ |
| IoT機器に組み込まれるものとして作成されたプログラムは，著作権法では保護されない。 | ③＿＿＿ |

| 答え | ①○ | ②× | ③× |
|---|---|---|---|

---

### 確認問題 A ▶ 平成29年度秋期 問35

カーナビゲーションシステムに関する知的財産権と保護対象の適切な組合せはどれか。

| | 商品名 | 画面のデザイン | コントローラのボタン配置 |
|---|---|---|---|
| ア | 意匠権 | 実用新案権 | 商標権 |
| イ | 意匠権 | 商標権 | 実用新案権 |
| ウ | 商標権 | 意匠権 | 実用新案権 |
| エ | 商標権 | 実用新案権 | 意匠権 |

 **要点解説** 意匠権は形や色，商標権は名称，実用新案権は構造や形状のアイディアを保護します。商品名は商標権，画面のデザインは意匠権，コントローラのボタン配置は実用新案権です。

### 解答

問題A：ウ

# セキュリティ関連・個人情報関連法規

## セキュリティ関連法規1

①_____は，日本のサイバーセキュリティに関する施策の基本理念やセキュリティ戦略を定めた法律です。

②_____ガイドラインは，サイバー攻撃から企業を守る観点で，経営者が認識すべき3原則などを記しています。

③_____は，ネットワークに接続され，アクセス制限機能を持つコンピュータに対し，不正なアクセスを禁止する法律です。

個人情報保護法は，個人情報の不適切な取り扱いによって，個人の権利利益が侵害されないようにすることを目的とした法律です。個人情報の④_____を通知・公表して取得することなどが義務付けられています。人種や信条など，⑤_____についても，第三者に提供したりする際は，原則として本人の同意を得る必要があります。⑥_____についても，本人が気づかないような方法での利用が規制されています。

⑦_____は，EUの個人情報保護に関する規則で，EU域内に拠点があるか，サービスを提供している企業に適用されます。過去の自分の個人情報の削除を要求する⑧_____も制定されています。

⑨_____は，個人が特定できないよう加工した技術です。

| 答え | ①サイバーセキュリティ基本法 | ②サイバーセキュリティ経営 |
|------|------|------|
| | ③不正アクセス禁止法 | ④利用目的 |
| | ⑤要配慮個人情報 | ⑥個人関連情報 |
| | ⑦GDPR | ⑧忘れられる権利 |
| | ⑨匿名加工情報 | |

## 🐳 セキュリティ関連法規2

　①_____は，インターネット上の誹謗中傷に対処するため，SNSなどの大規模プラットフォーム事業者を対象に，削除申請窓口の設置や調査専門員の設置を義務付けた法律です。

　②_____は，不特定多数に大量に送られる電子メールです。また，迷惑メール対策の法律として，③_____があります。広告などのメールの送信者は，電子メールの送信に際し，あらかじめ受信者の承諾を得ておく必要があります。これを④_____といいます。

　刑法では，⑤_____の規定があります。コンピュータ使用時に意図していない不正な指令を与える電磁的記録を作成したり，正当な理由なく配布したりすることが対象となります。

| 答え | ①情報流通プラットフォーム対処法　　②スパムメール ③特定電子メール法　　④オプトイン ⑤ウイルス作成罪 |
| --- | --- |

## 🐳 プチ問題

　次の記述は○か×か？

| サイバーセキュリティ基本法では，国民がどう行動するかについても定められている。 | ①_____ |
| --- | --- |
| 管理職が部下のパスワードを無断で第三者に教えた場合は，不正アクセス禁止法違反にはならない。 | ②_____ |
| 誹謗中傷を書かれた当事者からの訴えがあった場合，プロバイダは発信者を速やかに開示する。 | ③_____ |

| 答え | ①○　　　②×　　　③× |
| --- | --- |

## 💬 労働関連法規

①＿＿＿＿＿＿＿＿は，賃金や労働時間，休息，休暇など，労働者の労働条件の最低基準を定めた法律です。

②＿＿＿＿＿＿＿＿は，労働者や使用者が，対等の立場で労働条件について合意し，労働契約を締結することを定めたものです。

③＿＿＿＿＿＿＿＿＿は，所定の労働時間を満たしていれば，始業や終業時間を定時からずらしてよいとする制度です。

④＿＿＿＿＿＿＿＿は，ICTを活用して，時間や場所の制約を受けない柔軟な働き方の一つです。

裁量労働制は，労働者の裁量で労働時間を決められる制度です。専門的な業種対象の⑤＿＿＿＿＿＿＿裁量労働制と，事業運営，企画業務などに従事する人が対象の⑥＿＿＿＿＿＿＿裁量労働制があります。

労働者が，派遣元企業（派遣会社）との⑦＿＿＿＿関係とは別に，派遣先企業の⑧＿＿＿＿＿＿を受ける契約を⑨＿＿＿＿＿＿＿＿＿といいます。

⑩＿＿＿＿＿＿＿＿は，将来直接雇用があることを前提とする形態の派遣です。

⑪＿＿＿＿＿＿＿＿＿は，公益のために内部告発した労働者が，解雇などの不利益な扱いを受けないように保護する法律です。

| 答え | ①労働基準法 | ②労働契約法 | ③フレックスタイム |
|---|---|---|---|
| | ④テレワーク | ⑤専門業務型 | ⑥企画業務型 |
| | ⑦雇用 | ⑧指揮命令 | ⑨労働者派遣契約 |
| | ⑩紹介予定派遣 | ⑪公益通報者保護法 | |

9
企業活動と法務

## 🐍 取引関連法規

　①＿＿＿＿＿契約は，請け負った仕事を期日までに完成させることを約束して，成果物に対して対価を支払う契約です。請け負った仕事が契約の内容に合わないとき，相当の期間内（最長10年）であれば責任を負う②＿＿＿＿＿＿＿責任があります。

　製造物責任法（③＿＿＿＿法）は，製造物の欠陥が原因で人的被害が生じた場合の損害賠償の責任について定めた法律です。

　④＿＿＿＿＿＿は，下請取引の公正化や下請事業者の利益保護を目的として定められた法律です。

　⑤＿＿＿＿＿＿＿＿＿は，トラブルが生じやすい取引での消費者保護を目的として定められた法律です。

　⑥＿＿＿＿＿＿＿は，誇大広告などの不当な表示を規制する法律です。

　⑦＿＿＿＿＿＿＿は，資源の分別回収と再資源化について定めた法律です。

　⑧＿＿＿＿＿＿＿は，商品券や電子マネーなどの取扱いについて定めた法律です。

　⑨＿＿＿＿＿＿＿＿＿は，有価証券や金融商品の発行や売買について，投資者保護や公正な取引を目的として定められた法律です。

　⑩＿＿＿＿＿＿＿は，国や自治体の行政機関が保有する資料について，原則公開を義務づけた法律です。

| 答え | ①請負 | ②契約不適合 | ③PL | ④下請法 |
| --- | --- | --- | --- | --- |
| | ⑤特定商取引法 | ⑥景品表示法 | ⑦リサイクル法 | ⑧資金決済法 |
| | ⑨金融商品取引法 | ⑩情報公開法 | | |

# 業務分析

## 🐾 品質管理手法

①＿＿＿＿＿＿＿＿は，特性がどのような要因で引き起こされたかを体系的にまとめた図です。

②＿＿＿＿＿＿＿＿は，データをいくつかの項目に分類し，横軸方向に大きさの順に棒グラフとして並べ，累積値を折れ線グラフで表した図です。③＿＿＿＿＿＿＿＿は，パレート図を利用し重点項目を把握します。

④＿＿＿＿＿＿＿＿は，収集したデータをいくつかの区間に分け，各区間に属するデータの個数を棒グラフで表した図です。

⑤＿＿＿＿＿＿＿は，長方形の箱と両端から伸びるひげで表した図です。

⑥＿＿＿＿＿は，特性値を折れ線グラフでプロットした図です。

⑦＿＿＿＿＿は，縦軸と横軸の座標上をプロットした点のばらつき具合を表した図です。⑧＿＿＿＿＿＿は2種類のデータの関連の強さを示します。2種類のデータのうち，予測したい要素を⑨＿＿＿＿＿，目的変数に影響を与える要素を⑩＿＿＿＿＿といいます。

⑪＿＿＿＿＿＿＿は，目的変数と説明変数の関係を明らかにする手法です。

⑫＿＿＿＿＿＿＿は，集計データを色分けして表した図です。

| 答え | ①特性要因図 | ②パレート図 | ③ ABC 分析 | ④ヒストグラム |
|---|---|---|---|---|
| | ⑤箱ひげ図 | ⑥管理図 | ⑦散布図 | ⑧相関係数 |
| | ⑨目的変数 | ⑩説明変数 | ⑪回帰分析 | ⑫ヒートマップ |

## データの視覚化

次のようなデータ視覚化の手法もあります。

| ①_____ | ロジックツリーともいう。目的を達成するための手段を細分化する |
|---|---|
| ②_____ | 二つの要素を行と列で表現したもの |
| ③_____ | 縦横両方向に意味を持たせたグラフの一種。クロス集計したデータを視覚化する |
| ④_____ | 概念地図と訳され，キーワード同士の関連を表現する |

| 答え | ①系統図　　　　　　②マトリックス図 |
|---|---|
|  | ③モザイク図　　　　④コンセプトマップ |

## 品質管理

①_____は，全社的に品質管理に取り組むことです。

②_____は，継続的に品質の向上を図る手法です。

| 答え | ① TQC　　　　② TQM |
|---|---|

学習日　　月　　日

## データ利活用

　統計データの調べる対象になる集団を①_____といいます。通常は全体の一部のサンプル(②_____)を対象として調査します(③_____)。母集団からランダムで標本を抽出する④_____や，母集団の中からランダムに小集団を選び，その小集団を全数調査する⑤_____などがあります。

　2種類のデータの間に関連があることを⑥_____関係といい，データが原因と結果の関係にあることを⑦_____関係といいます。

　⑧_____は，データの分析の際，関係する要素の種類を減らし，大きく影響を与える要素に置き換えて分析することです。

　⑨_____とは，ある仮説の正しさを，「特に変化や影響がないという仮説(⑩_____)と，対立仮説を立て，証明しようという手法です。

　第1種の誤りは，本当は帰無仮説が正しいのに棄却⑪_____ことで，第2種の誤りは，帰無仮説が誤りなのに棄却⑫_____判断をしてしまうことです。

　⑬_____推論は，具体的な事象から一般的な法則を出す方法です。

　⑭_____推論は，一般的な法則から具体的事象を導き出す方法です。

　⑮_____は，ある時点におけるデータの関連を分析したものです。

| 答え | ①母集団 | ②標本 | ③標本抽出 | ④単純無作為抽出法 |
|---|---|---|---|---|
| | ⑤クラスター抽出法 | ⑥相関 | ⑦因果 | ⑧主成分分析 |
| | ⑨仮説検定 | ⑩帰無仮説 | ⑪する | ⑫しない |
| | ⑬帰納 | ⑭演繹 | ⑮クロスセクションデータ | |

## 問題解決手法

　①＿＿＿＿＿＿＿＿＿＿＿＿は，多くの斬新なアイディアや意見を引き出す手法です。参加者は，「自由奔放」，「②＿＿＿より③＿＿＿」，「批判禁止」，「結合・便乗」を原則にします。

　④＿＿＿＿＿＿＿＿＿＿＿＿は，他の人が書いたアイディアに別のアイディアを書き加えていく手法です。

　⑤＿＿＿＿＿＿＿＿＿＿は中立な立場から会議を進行し，必要に応じて意見を整理したり発言を促したりする進行役です。

| 答え | ①ブレーンストーミング | ②質 | ③量 |
|---|---|---|---|
| | ④ブレーンライティング | ⑤ファシリテータ | |

## プチ問題

　次の記述は○か×か？

| 今日の最高気温は20℃なので，10℃だった昨日の2倍暖かい。 | ①＿＿ |
|---|---|
| 定期テストの点数は，比較尺度である。 | ②＿＿ |

| 答え | ①× | ②○ |
|---|---|---|

## 🔧 標準化

標準化は，物やサービスにおいて共通の基準や規格を決めることです。製品の互換性が確保され，利便性が上がります。

## 🔧 国際規格

①_____は，工業や技術に関する国際規格の策定と国家間の調整を行っています。

事実上の業界標準を②_____といいます。また，公的な機関が定めた標準規格を③_____といいます。業界団体が策定する標準規格を④_____といいます。

⑤_____は，日本国内における産業の標準規格です。

| 国際規格 | 概　要 |
|---|---|
| ISO 9000 | ⑥_____マネジメントシステム |
| ISO 14000 | ⑦_____マネジメントシステム |
| ISO/IEC 20000 | ⑧_____マネジメント |
| ISO 26000 | 組織の⑨_____ |
| ISO/IEC 27000 | ⑩_____マネジメントシステム |
| ISO38500 | ⑪_____ |

| 答え | ①ISO　　　　②デファクトスタンダード　　③デジュレスタンダード<br>④フォーラム標準　　⑤JIS　　　　⑥品質<br>⑦環境　　　　⑧ITサービス　　⑨社会的責任<br>⑩情報セキュリティ　⑪ITガバナンス |
|---|---|

9
企業活動と法務

## 確認問題 A ▶令和3年度 問2

　国際標準化機関に関する記述のうち，適切なものはどれか。

ア　ICANNは，工業や科学技術分野の国際標準化機関である。

イ　IECは，電子商取引分野の国際標準化機関である。

ウ　IEEEは，会計分野の国際標準化機関である。

エ　ITUは，電気通信分野の国際標準化機関である。

**要点解説** ICANNは，IPアドレスを管理する団体です。
IECは，国際電気標準化会議です。
IEEEは，米国電気電子技術者協会です。
ITUは，国際電子通信連合です。

## 解答

問題A：エ

# 第 10 章

# 経営戦略と
システム戦略

## [ ストラテジ系 ]

## 🗨 第4次産業革命

第4次産業革命 (①_____ 4.0) は，大量のデータを自動収集し，連携させ，解析し，活用することで新たな価値を生み出します。

②_____は，国籍・性別・年齢などに関わらず必要なときに必要なモノやサービスを享受でき，個人が快適に暮らせる社会のことです。③_____とも呼ばれます。

④_____は「持続的な開発目標」と訳され，地球環境を保護しながら全ての人が貧困を脱し平和で豊かに暮らせるような世界を目指そうというものです。将来に渡り経済活動が継続できることを持続可能性 (⑤_____) といいます。

5Gは，第5世代移動通信システムのことです。「超高速」，「⑥_____」，「⑦_____」の三つの特徴をもちます。

⑧_____は，地方自治体などがスポット的に専用の5Gネットワークを構築するものです。

| 答え | ①インダストリー | ②超スマート社会 | ③ Society5.0 |
|---|---|---|---|
| | ④ SDGs | ⑤サステナビリティ | ⑥超低遅延 |
| | ⑦多数同時接続 | ⑧ローカル5G | |

## ビッグデータの活用

①＿＿＿＿＿＿＿＿は，多種多様で高頻度に更新される大量のデータのことです。

②＿＿＿＿＿＿＿＿は，国などが公開しているデータです。

③＿＿＿＿＿＿＿＿＿は，国や企業が保有するデジタルデータを公開し活用することを推進する法律です。

④＿＿＿＿＿＿＿は，長期間の生活の記録をデータに残すことです。

⑤＿＿＿＿は，個人が自らのパーソナルデータを管理し，第三者に提供できる仕組みです。一方で，⑥＿＿＿＿＿は，個人に代わってパーソナルデータを管理し，第三者に提供する事業者です。

| 答え | ①ビッグデータ ②オープンデータ ③官民データ活用推進法 ④ライフログ ⑤PDS ⑥情報銀行 |
| --- | --- |

## データサイエンス

①＿＿＿＿＿＿＿＿＿は，幅広く集めたビッグデータを，数学・統計的に処理したり分析したりすることで，新たな価値を生み出そうとするものです。その専門家は②＿＿＿＿＿＿＿＿＿と呼ばれます。

③＿＿＿＿＿＿＿＿＿は，大量のデータを分析し，単なる検索だけでは発見できないような隠れた規則や相関関係を導き出そうとする技術です。解析手法の一つとして，よく一緒に購入される商品を分析する④＿＿＿＿＿＿分析があります。

⑤＿＿＿＿＿＿＿＿＿は，データマイニングの一種で，テキストデータ（文字情報）を対象とし，キーワードどうしの関連や出現傾向などを解析するものです。

⑥＿＿＿＿データは，定型になっているものです。定型化されていないデータを⑦＿＿＿＿＿データといい，メタデータを活用します。AIでメタデータを付与する⑧＿＿＿＿＿＿＿も可能になっています。

　統計を使った問題の発見から解決までのフレームワークの一つとしてPPDACサイクルがあります。これは，⑨＿＿＿＿＿＿＿＿＿＿（問題設定）・⑩＿＿＿＿＿＿（調査の計画）・⑪＿＿＿＿＿（データ）・⑫＿＿＿＿＿＿＿＿＿＿＿（分析）、Conclusion（結論）の略です。

| 答え | ①データサイエンス | ②データサイエンティスト | |
|---|---|---|---|
| | ③データマイニング | ④バスケット | ⑤テキストマイニング |
| | ⑥構造化 | ⑦非構造化 | ⑧アノテーション |
| | ⑨Problem | ⑩Plan | ⑪Data |
| | ⑫Analysis | | |

**知っ得情報** ◀ **スマートシティ**

　Society 5.0を地域社会のまちづくりに応用したものです。ビッグデータ・IoT・AIなどの技術を活用して，都市や市町村が抱える問題を解決し，効率化・全体最適化を図ろうとする試みです。

# 10 02 企業活動

## 企業活動

①＿＿＿＿＿＿は，企業の存在理由や価値観などのことです。

②＿＿＿＿＿＿＿は，企業の到達したい理想像です。

③＿＿＿＿＿＿は，経営ビジョンを実現するための具体的な方策です。

④＿＿＿＿＿＿は，企業の経営戦略を実現するための具体的な行動計画のことです。

⑤＿＿＿＿＿＿は，「ヒト」・「モノ」・「カネ」・「情報」など資源のことをいいます。

⑥＿＿＿＿＿＿は，株式を発行して，より多くの⑦＿＿＿＿から資金を集め，事業を行う会社形態です。株主は，⑧＿＿＿＿＿＿と呼ばれる最高意思決定機関において，重要な意思決定を行います。

| 答え | ①経営理念 | ②経営ビジョン | ③経営戦略 | ④経営計画 |
| | ⑤経営資源 | ⑥株式会社 | ⑦株主 | ⑧株主総会 |

**10**
経営戦略とシステム戦略

## 企業の社会的責任

①＿＿＿＿＿＿は「企業の社会的責任」と訳されます。企業が株主やその他の利害関係者に対して，経営活動の内容や実績に関する説明責任（②＿＿＿＿＿＿＿＿＿＿）を負うことや，社会貢献，ボランティア活動，環境へ配慮した活動もそのうちの一つに挙げられます。

企業を取り巻く利害関係者を③＿＿＿＿＿＿＿＿といいます。

④＿＿＿＿＿＿＿＿は，グリーンな（環境に配慮した，省エネの）IT機器を利用することで，社会の省エネを推進し，環境を保護していくと

いう考え方のことです。

⑤_____は，製品の生産から廃棄までに生じた温室効果ガス排出量です。

⑥_____は，投資する企業を選ぶに当たり，環境・社会・企業統治の三つの観点も加えて判断しようというものです。

⑦_____は，収益を上げながら社会的課題を解決しようというものです。

| 答え | ① CSR　　　　②アカウンタビリティ　　　③ステークホルダ<br>④グリーン IT　　⑤カーボンフットプリント　　⑥ ESG 投資<br>⑦ソーシャルビジネス |
| --- | --- |

## 経営組織

経営組織の代表的な形態として，次のようなものがあります。

| ①_____組織 | 仕事の性質によって，部門を編成した組織 |
| --- | --- |
| ②_____組織 | 社内を事業ごとに分割し，編成した組織 |
| ③_____組織 | 各事業部を独立した会社のように扱う組織 |
| ④_____組織 | 特定の問題を解決するために，一定の期間に限って結成される組織 |
| ⑤_____組織 | 構成員が，職能部門と特定の事業を遂行する組織の両方に所属する組織 |

| 答え | ①職能別　　　　②事業部制　　　　③カンパニー制<br>④プロジェクト　　⑤マトリックス |
| --- | --- |

## 🎓 教育訓練

①_____は，実際の仕事を通じて，業務に必要な知識や技術を習得させる手法です。

②_____は，仕事を離れて，業務に必要な知識や技術を習得させる手法です。③_____は，インターネットやWebサービスを利用して，空き時間などに受講できます。また，個人の学習進行度や理解度に応じて学習内容や学習レベルを最適化して提供してくれる④_____にも向いています。

⑤_____は，変化に対応できる新しいスキルの獲得です。

⑥_____は，指導者が質問や簡単なアドバイスを投げかけ，自らが目標に向かって行動を起こすように仕向けることです。

⑦_____は，指導者が仕事だけでなく，キャリア形成や人格的成長までも支援することです。

| 答え | ① OJT | ② Off -JT | ③ e- ラーニング |
| --- | --- | --- | --- |
| | ④アダプティブラーニング | ⑤リスキリング | ⑥コーチング |
| | ⑦メンタリング | | |

## 🎓 人材管理

①_____は人材を経営資源として戦略的に管理することです。

②_____は，AIやビッグデータなどの最新技術を人事・採用・人材育成などに応用することです。

③_____は，様々な人材の違いを受け入れて登用することで組織全体を活性化する考え方です。

④_____は，社員の離職を防ぐための施策のことです。

| 答え | ① HRM | ②HR テック | ③ DE & I | ④リテンション |
| --- | --- | --- | --- | --- |

**10** 経営戦略とシステム戦略

## 企業統治と内部統制

①_____は，企業の評判が下がるリスクです。

②_____は，企業経営が適切に行われているかどうかを監督・監視する仕組みです。

③_____は，法律を遵守してルールを守った企業活動を行うことです。

④_____は，企業自らが業務を適切に遂行していくために，体制を整備・運用する仕組みです。これが有効に機能していることを継続的に監視・評価することを⑤_____といいます。

ITを活用して内部統制を強化することを⑥_____といいます。

⑦_____は個別の業務の統制で，⑧_____は各業務処理統制に共通する統制です。

⑨_____は，不正や誤りが発生するリスクを減らすために，仕事の役割分担や仕事の権限を明確にすることです。

⑩_____は，企業経営や組織運営を行う上で発生する各種のリスクへの対策が，適切に整備・運用されているか調査することです。企業内部の監査部門が行う⑪_____監査と，外部の第三者機関に依頼して行う⑫_____監査に大別できます。

| 答え | ①レピュテーションリスク | | ②コーポレートガバナンス |
|---|---|---|---|
| | ③コンプライアンス | ④内部統制 | ⑤モニタリング |
| | ⑥IT統制 | ⑦業務処理統制 | ⑧全般統制 |
| | ⑨職務分掌 | ⑩監査 | ⑪内部　　　　⑫外部 |

## 全社戦略

①＿＿＿＿＿＿＿は，企業全体の視点から方向性を示したものです。

②＿＿＿＿＿＿＿＿＿＿は，競合他社には真似できない自社独自のスキルや技術のことです。

③＿＿＿＿＿＿＿＿＿＿は，自社の製品やサービスを継続的に測定して，競合他社または先進企業と比較することです。競合他社や先進企業の④＿＿＿＿＿＿＿＿＿＿（優れた事例）を参考にします。

| 答え | ①全社戦略　　　　　　　②コアコンピタンス　　　③ベンチマーキング ④ベストプラクティス |
| --- | --- |

## 企業の連携

①＿＿＿＿＿＿は，企業の合併・買収のことです。②＿＿＿＿＿統合は，流通や製造の別工程を担当する企業同士が統合することをいい，③＿＿＿＿＿統合は，同業他社同士が統合することをいいます。

④＿＿＿＿＿＿は，株式公開買付けのことです。

⑤＿＿＿＿＿＿は，経営陣による自社の買収のことです。⑥＿＿＿＿＿＿は，一般従業員が，自社の株式を買い取り，経営を引き継ぐことです。

⑦＿＿＿＿＿＿＿＿は，企業同士が連携することです。

⑧＿＿＿＿＿＿は，相手先の商標やブランドで製品を製造し，供給する生産提携のことをいいます。

⑨＿＿＿＿＿＿＿＿＿＿は，企業同士が共同出資して新しい企業を設立することです。

⑩＿＿＿＿＿＿＿は，自社の事業と関連のあるベンチャー企業に投資し，自社の事業との相乗効果を図る形態のことです。

⑪＿＿＿＿＿＿＿＿＿＿は，企業が自社の業務の一部を外部の業者に委託するこです。海外の企業に外部委託することを⑫＿＿＿＿＿＿＿＿＿＿＿＿＿＿＿＿＿＿＿，自社では工場を持たずに他の企業に生産委託する企業形態を⑬＿＿＿＿＿＿＿といいます。

⑭＿＿＿＿＿＿＿＿は，幅広く連携する経済圏です。

| 答え | ① M&A ②垂直 ③水平 ④ TOB ⑤MBO |
|---|---|
| | ⑥ EBO ⑦アライアンス ⑧ OEM ⑨ジョイントベンチャ ⑩ CVC |
| | ⑪アウトソーシング ⑫オフショアアウトソーシング |
| | ⑬ファブレス ⑭エコシステム |

## 🐝 事業戦略1

①＿＿＿＿＿＿＿＿＿＿＿＿戦略は，低価格で勝負する戦略です。

②＿＿＿＿＿＿戦略は，特定の顧客層・特定の商品・特定の地域などの限定されたセグメントに絞って勝負する戦略です。

③＿＿＿＿＿＿＿戦略は，価格以外で，他では簡単に模倣できないもので勝負する戦略です。

④＿＿＿＿＿＿＿戦略は，他社が差別化戦略をとってきたときに，同様の商品をぶつけて違いによる優位性をなくそうという戦略です。

⑤＿＿＿＿＿＿＿＿＿＿＿戦略は，競争のない新たな市場を創造します。

⑥＿＿＿＿＿＿＿は，事業や製品を，市場の成長率と自社の市場占有率から花形・負け犬・金のなる木・問題児に分類する手法です。

⑦＿＿＿＿＿＿＿＿＿分析は，企業の経営環境を内部環境である強みと弱み，外部環境である機会と脅威に分類する手法です。

| 答え | ①コストリーダシップ ②集中 ③差別化 ④同質化 |
|---|---|
| | ⑤ブルー・オーシャン ⑥ PPM ⑦ SWOT |

## 🎗 事業戦略2

　①＿＿＿＿＿＿＿＿は，自社・競合・顧客の三つの視点から自社の取り巻く環境を分析する手法です。

　②＿＿＿＿＿＿＿＿＿＿＿＿＿＿は，自社を取り巻く脅威を「競合企業」・「新規参入の脅威」・「代替品の脅威」・「売り手の交渉力」・「買い手の交渉力」に分類して分析する手法です。

　③＿＿＿＿＿＿＿＿分析は，内部環境を，経済価値・希少性・模倣可能性・組織に分類する手法です。

　④＿＿＿＿＿＿＿＿＿＿分析は，製品やサービスの付加価値は，どの活動で生み出されているかを分析する手法です。

　⑤＿＿＿＿＿＿＿＿＿＿＿＿＿＿＿は，事業の成長戦略を市場と製品の2軸に，既存と新規を区分して分類し，分析する手法です。

　⑥＿＿＿＿＿＿＿＿＿＿＿＿＿＿＿は，ビジネスモデルを成立させている要素を，九つに分けて分析する手法です。

　⑦＿＿＿＿＿＿＿＿は，事業を絞り大量に生産・販売することでコストを削減する考え方です。⑧＿＿＿＿＿＿＿は，複数の事業の基盤を共通化することでコストを削減する考え方です。

　⑨＿＿＿＿＿＿＿＿＿＿＿＿＿＿＿＿＿＿＿は，デジタル技術を活用して，将来の成長や競争力強化につなげようというものです。

| 答え | ① 3C分析 | ②ファイブフォース分析 |
|---|---|---|
| | ③ VRIO | ④バリューチェーン |
| | ⑤アンゾフの成長マトリクス | ⑥ビジネスモデルキャンバス |
| | ⑦規模の経済 | ⑧範囲の経済 |
| | ⑨デジタルトランスフォーメーション | |

**10**

経営戦略とシステム戦略

## 情報システム戦略

　①＿＿＿＿＿＿＿＿＿＿は，情報システムをどう構築し活用するかという戦略です。②＿＿＿＿＿の統括の下で，「最高情報責任者」と呼ばれる③＿＿＿＿＿が中心となり，情報管理や情報システムに関する戦略を立案して執行を統括します。

　④＿＿＿＿＿＿＿＿＿は，情報システム戦略の策定と実行をコントロールする組織の能力のことです。国内規格は⑤＿＿＿＿＿＿＿＿です。

　⑥＿＿＿＿＿は，現状の業務と情報システムの全体像を可視化し，将来のあるべき理想の姿を設定して全体最適化を行うときに用いる手法です。現状の姿（⑦＿＿＿＿＿＿モデル）と，あるべき理想の姿（⑧＿＿＿＿＿＿モデル）との差を分析（⑨＿＿＿＿＿分析）しながら，業務とシステムを同時に改善していきます。なお，「ビジネス」・「⑩＿＿＿＿＿」・「⑪＿＿＿＿＿＿＿＿」・「テクノロジ」の四つの体系で分析し，全体最適化の観点から見直していきます。

　⑫＿＿＿＿＿は，データを正確に記録することを重視したシステムのことです。⑬＿＿＿＿＿は，顧客とのつながりを重視したシステムです。

| 答え | ①情報システム戦略 | ②CEO | ③CIO | ④IT ガバナンス |
| --- | --- | --- | --- | --- |
| | ⑤JIS Q38500 | ⑥EA | ⑦As-Is | ⑧To-Be |
| | ⑨ギャップ | ⑩データ | ⑪アプリケーション | |
| | ⑫SoR | ⑬SoE | | |

## 業務プロセスとモデリング

　業務プロセス(ビジネスプロセス)は、業務の一連の流れのことです。①＿＿＿＿＿＿＿＿は、システム化の対象となる業務プロセスやデータの流れを視覚的に図式化したものです。

　②＿＿＿＿＿は、データの流れに注目し、業務のデータの流れと処理の関係を視覚的に表した図です。データの流れは→で、③＿＿＿＿＿＿は○で、④＿＿＿＿＿＿＿はニで、データの源泉と吸収は□で表します。

　⑤＿＿＿＿＿＿は、業務プロセスをワークフロー形式で視覚的に表した図です。

　⑥＿＿＿＿＿＿＿＿は、システム内の処理や作業の流れを視覚的に表した図です。

　⑦＿＿＿＿＿は、業務プロセスを根本的に見直し、再構築することです、この実行状況を継続的に評価・改善していくことをBPMといいます。

　⑧＿＿＿＿＿は、自社の業務プロセスの一部、または全部を外部の専門的な事業者に委託することです。

| 答え | ①モデリング　②DFD　③プロセス　④データストア<br>⑤BPMN　⑥アクティビティ図　⑦BPR　⑧BPO |
|---|---|

**10**
経営戦略とシステム戦略

## ITの有効活用

　①＿＿＿＿＿は、社員がPCで行う定型的な業務を、ソフトウェアで実現したロボットを使って、自動化や効率化を図るものです。

　②＿＿＿＿＿＿＿＿は、電子メールや電子掲示板を介したコミュニケーション、データ共有、スケジュールの一元管理などの機能を持ち、共同作業の支援を行うソフトウェアです。

　③＿＿＿＿＿＿は、社員が私物のPCやスマートフォン、タブレットなどの情報端末を自社のネットワークに接続して、業務で利用できるよ

うにすることです。

④_____は，業務で使うスマートフォンやタブレットなどのモバイル
端末を一元管理する仕組みです。

⑤_____は，社員が情報システム部門の許可を得ずに，私物
のPCやスマートフォン，社外のクラウドサービスなどを業務に使うこ
とです。

| 答え | ①RPA　　　　②グループウェア　　　　③BYOD　　　　④MDM |
| | ⑤シャドーIT |

# マーケティング戦略

学習日　月　日

## マーケティング戦略1

　マーケティング戦略において，顧客を精神的・主観的に満足させる①＿＿＿＿＿＿＿（②＿＿＿）も重要な要素となっています。

　③＿＿＿＿分析は，セグメンテーション・ターゲティング・ポジショニングの視点で分析することです。

　④＿＿＿＿＿＿＿＿＿＿は，市場の中から特定のセグメントに絞り込んでアプローチを行うことです。想定顧客のプロフィールや生活様式を詳細まで想定し，最適な販売施策を探る方法を⑤＿＿＿＿＿＿＿＿＿といいます。

　コトラーの競争戦略は，市場シェアにより競争上の地位をリーダ・チャレンジャ・⑥＿＿＿＿＿・⑦＿＿＿＿＿に分類します。

　⑧＿＿＿＿＿＿＿＿＿＿は，製品・価格・流通・販売促進の要素を組み合わせてマーケティングを展開する手法です。売り手から見た要素は⑨＿＿＿＿＿と呼ばれ，これに対して買い手から見た要素は⑩＿＿＿＿と呼ばれています。

　⑪＿＿＿＿＿＿＿＿＿＿＿＿は，商品が市場に導入されて衰退するまでの期間を導入期・成長期・成熟期・衰退期の四つのカテゴリに分類する手法です。

| 答え | ①顧客満足度 | ②CS | ③STP |
|---|---|---|---|
| | ④ターゲットマーケティング | ⑤ペルソナ分析 | ⑥フォロワ |
| | ⑦ニッチャ | ⑧マーケティングミックス | |
| | ⑨4P | ⑩4C | ⑪プロダクトライフサイクル |

10

経営戦略とシステム戦略

## マーケティング戦略2

①_____戦略は，ブランドイメージを利用して差別化を図る戦略です。現行商品とは異なるカテゴリに，同一ブランド名で参入する戦略を②_____といい，企業のブランドは③_____と呼ばれています。

④_____志向は，顧客のニーズを調べて，それを満たす商品やサービスを作り出す手法です。

⑤_____志向は，自社の持つ独自の核となる技術などを生かして商品やサービスを作り出すマーケティング手法をいいます。

⑥_____分析は，最終購買日・購買頻度・購買金額の指標を使って，顧客の購買行動を分析する手法です。

イノベータ理論の初期採用層を⑦_____といい，前期追随層を⑧_____といいます。二者の間には⑨_____と呼ばれる溝があります。

⑩_____は，デジタル技術による既存商品の破壊です。

⑪_____は，導入期に，製品開発コストの回収や利益が獲得できるよう，高価格による販売で高利益を得る戦略です。

⑫_____は，導入期に，低価格による販売で市場のシェアを得る戦略をいいます。

⑬_____は，需要と供給に合わせて変動させる価格戦略のことです。

| 答え | ①ブランド | ②ブランドエクステンション |
|---|---|---|
| | ③コーポレートブランド | ④ニーズ |
| | ⑤シーズ　　　　⑥RFM | ⑦アーリーアダプタ |
| | ⑧アーリーマジョリティ | ⑨キャズム |
| | ⑩デジタルディスラプション | ⑪スキミングプライシング |
| | ⑫ペネトレーションプライシング | ⑬ダイナミックプライシング |

## 🌀 マーケティング戦略3

①＿＿＿＿＿＿＿＿＿＿＿＿は，単一製品を，全ての顧客を対象に大量生産・大量流通させる方法です。

②＿＿＿＿＿＿＿＿＿＿＿＿は，個々の顧客ニーズに個別に対応するマーケティング手法です。

③＿＿＿＿＿＿＿＿＿は，Webページの閲覧履歴や商品の購入履歴を分析し，関連商品を表示することで購入を促す手法です。

④＿＿＿＿＿＿＿＿＿＿＿＿は，大量生産のメリットを生かしつつ，個々の顧客の好みに応じられようにする手法です。

⑤＿＿＿＿＿＿＿＿＿＿＿＿は，流通業者を通さずに直接顧客とコミュニケーションをとる手法です。

⑥＿＿＿＿戦略は，営業を通じて，消費者に直接働きかけて商品を売り込む戦略です。⑦＿＿＿＿戦略は，宣伝広告を使って，消費者が商品を購入したくなるように促す戦略です。

⑧＿＿＿＿＿＿＿＿＿＿＿＿は，情報を探している見込み客を最終的に顧客に転換させることを目標とする手法です。

⑨＿＿＿＿＿＿＿＿＿＿＿＿は，複数のメディアを融合させてマーケティング上の相乗効果を図ることです。

⑩＿＿＿＿＿＿＿＿＿＿は，消費者のニーズに合致するような形態で商品を提供するために行う一連の活動です。

⑪＿＿＿＿＿＿＿＿＿は，自社内の商品が競合し売上を食い合うことです。

| 答え | ①マスマーケティング | ②ワントゥワンマーケティング |
|---|---|---|
| | ③レコメンデーション | ④マスカスタマイゼーション |
| | ⑤ダイレクトマーケティング | ⑥プッシュ |
| | ⑦プル | ⑧インバウンドマーケティング |
| | ⑨クロスメディアマーケティング | ⑩マーチャンダイジング |
| | ⑪カニバリゼーション | |

**10**
経営戦略とシステム戦略

## 技術戦略1

①＿＿＿＿＿＿＿＿＿＿は，今までにない，画期的な新しいものを創り出すことです。

②＿＿＿＿＿＿＿＿＿＿＿＿＿は，製品そのものに関する技術革新で，③＿＿＿＿＿＿＿＿＿＿＿＿＿は，業務プロセスに関する技術革新です。

④＿＿＿＿＿＿は，技術開発に投資して，イノベーションを創出して技術革新をビジネスに結び付けていこうとする経営の考え方です。

⑤＿＿＿＿＿＿＿＿＿は，将来の技術動向を予測して進展の道筋を時間軸上に表したものです。

⑥＿＿＿＿＿＿＿＿は，「複数の専門家からの意見を収集する」・「収集した意見を集約する」・「集約した意見をフィードバックする」，これを繰り返すことで意見を収束させていく手法です。

⑦＿＿＿＿＿＿＿＿＿＿は，「技術の重要度」や「保有技術の水準」などを軸としたマトリックスに，自社の技術の位置づけを示すものです。

⑧＿＿＿＿＿は，アプリケーションの機能を外部から利用できるようにする仕組みのことです。⑨＿＿＿＿＿＿＿＿は，公開されたAPIの組み合わせで新サービスを作ることです。これにより企業同士がサービスを連携させることで生まれる新しい経済圏を⑩＿＿＿＿＿＿＿＿＿といいます。

⑪＿＿＿＿＿＿＿＿＿＿＿＿は，他企業や他業種，国，地方自治体，大学などと協力して，互いの専門知識を生かしてイノベーションを起

こそうという考えのことです。

| 答え | ①イノベーション ②プロダクトイノベーション<br>③プロセスイノベーション ④MOT<br>⑤技術ロードマップ ⑥デルファイ法<br>⑦技術ポートフォリオ ⑧API<br>⑨マッシュアップ ⑩APIエコノミー<br>⑪オープンイノベーション |
| --- | --- |

## 技術戦略2

①_____は，開発者やデザイナーなどが集まってチームを組み，数時間や数日間の日程で，与えられた課題にチャレンジするイベントのことです。

②_____思考は，「利用者の立場で観測する」・「潜在的な問題点を抽出する」・「様々な解決策を出す」・「プロトタイプを作成する」・「評価して改善する」，これを繰り返すことで，イノベーションを生み出そうという考え方です。

③_____は，低コストで最小限の機能の試作品やサービスを市場に出し，市場の反応をフィードバックして改善していく方法です。

④_____は基礎研究が製品開発に結び付かないことを，

⑤_____は製品開発が事業に結び付かないことを，⑥_____は事業化できても市場に浸透できないことをいいます。

⑦_____は，優良な企業が市場の変化に対応できず，新技術を用いた新製品に敗北してしまうことです。

| 答え | ①ハッカソン ②デザイン ③リーンスタートアップ<br>④魔の川 ⑤死の谷 ⑥ダーウィンの海<br>⑦イノベーションのジレンマ |
| --- | --- |

**10**

経営戦略とシステム戦略

# 10 08 業績評価と経営管理システム

## 業務評価

①_____は，企業のビジョンや戦略を実現するために，財務・顧客・業務プロセス・学習と成長の四つの視点から，具体的に目標を設定して業績を評価する手法です。

②_____は，目指すべき最終的な目標となる数値をいい，「重要目標達成指標」と訳されます。

③_____は，最終目標を達成するために必要不可欠となる要因をいい，「重要成功要因」と訳されます。

④_____は，目標を達成するための活動の実行状況のことです。

PDCAは，マネジメントサイクルの一つです。⑤_____（計画）→ ⑥_____（実行）→⑦_____（評価）→ ⑧_____（改善）を繰り返すことによって，継続的に改善していく手法です。

OODAは事前の計画より現状の分析を重視するものです。

⑨_____（観察）→⑩_____（方向付け）→

⑪_____（意思決定）→⑫_____（行動)を繰り返します。

⑬_____は，製品やサービスなどの価値を，機能と価格との関係で把握し，体系化された手順によって価値の向上を図る手法です。

| 答え | ① BSC | ② KGI | ③ CSF | ④ KPI | ⑤ Plan |
|------|-------|-------|-------|-------|---------|
| | ⑥ Do | ⑦ Check | ⑧ Act | ⑨ Observe | ⑩ Orient |
| | ⑪ Decide | ⑫ Act | ⑬バリューエンジニアリング | | |

## 経営管理システム

①＿＿＿＿＿＿＿は，個別の顧客に関する情報や対応履歴などを一元管理し共有することで，顧客満足度や顧客生涯価値を向上させようというものです。

②＿＿＿＿＿＿＿は，個人がもつ営業に関する知識やノウハウなどを一元管理し共有することで，効率的・効果的に営業活動を支援する手法です。基本機能の一つに③＿＿＿＿＿＿＿＿＿＿管理があり，顧客訪問日，営業結果などの履歴を管理し，見込客や既存客に対して効果的な営業活動を行います。

④＿＿＿＿＿＿＿は，部品の調達から生産・物流・販売までの一連のプロセスの情報を一元管理し共有することで，業務プロセスの全体最適化を図るもので，⑤＿＿＿＿＿＿＿＿＿の短縮，在庫コストや流通コストの削減が目的です。

⑥＿＿＿＿＿＿＿＿＿＿＿は，調達や生産，販売などの広い範囲を考慮に入れた上での物流の最適化を目指す考え方です。

⑦＿＿＿＿＿＿＿は，生産・流通・販売・財務・経理などの企業の基幹業務の情報を一元管理し共有することで，企業の経営資源の最適化を図る手法です。

⑧＿＿＿＿＿＿＿＿＿＿＿＿＿＿は，社員個人がビジネス活動から得た客観的な知識や経験・ノウハウなどを一元管理し共有するものです。

| 答え | ① CRM | ② SFA | ③コンタクト |
| --- | --- | --- | --- |
| | ④ SCM | ⑤リードタイム | ⑥ロジスティクス |
| | ⑦ ERP | ⑧ナレッジマネジメント | |

**10**

経営戦略とシステム戦略

## ビジネスシステム

　①_____システムは，バーコードを読み取って商品の販売情報をリアルタイムに収集し，販売管理や在庫管理に役立てるシステムです。

　②_____は，申請書類や通知書などを電子データ化し，申請から決裁までをネットワーク上で行うシステムです。

　③_____は，製品や食品などの生産から消費，廃棄までの全工程の履歴の追跡が可能なシステムです。

　④_____は，地理的なデータと統計データを組み合わせて視覚化したシステムです。標準形式にシェープファイルがあります。

　⑤_____は，衛星からの情報を利用し，自分の位置情報を算出するシステムです。精度向上に⑥_____も使われます。

　⑦_____は，高速道路などの有料道路の利用時に自動で料金を清算するシステムです。

| 答え | ① POS　　②ワークフローシステム　　③トレーサビリティシステム<br>④ GIS　　⑤ GPS　　⑥準天頂衛星　　⑦ ETC |
|---|---|

## マイナンバー制度

　マイナンバー制度は，行政を効率化し，国民の利便性を高めるため，公平・公正な社会を実現する①_____のことをいいます。日本に住民票がある人に，氏名・住所・性別・生年月日と関連付けられる②____桁のマイナンバー（③_____）が付与されます。

　マイナンバーカードには，ICチップによる公的個人認証機能があ

り，名前・住所・生年月日・性別が含まれる④_____電子証明書と，個人情報が含まれない⑤_____電子証明書の2種類が記録されています。

| 答え | ①社会基盤 | ②12 | ③個人番号 | ④署名用 | ⑤利用者証明用 |
|---|---|---|---|---|---|

## 🐾 エンジニアリングシステム

①_____は，必要な物を，必要な時に，必要な量だけを生産する方式で，②_____方式とも呼ばれます。③_____生産方式として一般化されています。

④_____は，製品開発において，各作業工程のうち，同時にできる作業を並行的に行うことで，リードタイムの短縮やコストダウンを図る手法です。

⑤_____は，ボトルネックになっている工程を見つけ，改善することで全体の生産性を上げる考え方です。

⑥_____は，コンピュータを利用して設計を支援することです。

⑦_____は，工作機械や無人搬送車，産業用ロボットなどをネットワーク化してコンピュータで集中管理するシステムです。

⑧_____は，製品の生産計画に基づいて，必要となる部品の所要量と発注時期を決定する資材管理手法です。

| 答え | ①ジャストインタイム | ②かんばん | ③リーン |
|---|---|---|---|
| | ④コンカレントエンジニアリング | | ⑤TOC |
| | ⑥CAD | ⑦FMS | ⑧MRP |

# 10 10 e-ビジネス

## EC

インターネット技術を活用した商取引を①_____といい、②_____
____と訳されます。個人間取引の③_____、企業対個人取引の
④_____、企業対従業員取引の⑤_____、政府対企業間取引の
⑥_____などの取引形態があります。

⑦_____は、インターネット上に配置された仮想商店街の
ことです。

⑧_____は、ネットワークを介して、商取引のためのデータをコン
ピュータ間で交換することです。

⑨_____は本人確認をPCやスマートフォンを利用して、オンライ
ンで完結することです。

| 答え | ① EC | ②電子商取引 | ③ CtoC | ④ BtoC | ⑤ BtoE |
|------|------|------------|---------|---------|---------|
| | ⑥ GtoB | ⑦バーチャルモール | ⑧ EDI | ⑨ eKYC | |

## カードシステム

①_____は、信用限度額内の買い物を代金後払いで行え
るようにするものです。

②_____は、買物代金の支払いを銀行のキャッシュカード
で行い、利用金額を預金口座から即時に引き落とすものです。

③_____は、代金を前払いしてもらい、商品購入の都
度、カードから減額していくものです。

④＿＿＿＿＿＿＿は，クレジットカード会員の情報保護のセキュリティ要件をまとめた基準です。

| 答え | ①クレジットカード ②デビットカード<br>③プリペイドカード ④ PCI DSS |
|---|---|

## 金融システム

①＿＿＿＿＿＿＿＿＿は，金融分野にITを応用し，様々なサービスを創出することです。複数の金融機関の資産状況や出入金の履歴を，一元管理する②＿＿＿＿＿＿＿＿＿＿＿＿＿＿などがあります。

③＿＿＿＿＿＿＿は，ICカードやスマートフォンに保存される貨幣的価値による決済手段です。

④＿＿＿＿＿＿（仮想通貨）は，法定通貨やプリペイドカードではない手段であり，代金の支払に使用可能で，電子データでやりとりされる財産的価値のことです。⑤＿＿＿＿＿＿関数を利用して，取引の履歴（ブロックチェーン）を分散して持ち合うことで改ざんなどの不正を防ぐ仕組みになっています。

ブロックチェーンは暗号資産のみならず，⑥＿＿＿＿＿＿＿＿＿＿の確保に応用できます。また，取引の契約条件を自動実行するプログラム（⑦＿＿＿＿＿＿＿＿＿＿＿）をブロックチェーンに内包できます。

⑧＿＿＿＿＿は，デジタルデータに唯一無二の資産価値を持たせたものです。

| 答え | ① Fintech ②アカウントアグリゲーション<br>③電子マネー ④暗号資産<br>⑤ハッシュ ⑥トレーサビリティ<br>⑦スマートコントラクト ⑧ NFT |
|---|---|

10 経営戦略とシステム戦略

## Webによる販売促進1

①_____は，最終的に商品やサービスなどの購入に至った割合です。

| ②_____広告 | 検索誘導型広告 |
|---|---|
| ③_____広告 | 自動的に別のウィンドウで広告を表示 |
| ④_____広告 | Webサイトの一部に表示された広告用の画像 |
| ⑤_____広告 | 事前に承諾した受信者だけに送信されるダイレクトメール |
| ⑥_____ | 成果報酬型広告 |
| ⑦_____ | Web上で社会的な繋がりを促進 |
| ⑧_____ | 消費者が内容を生成していくメディア |
| ⑨_____ | Webサイトの記事の更新・公開を簡単にするシステム |

⑩_____は，Webページのデザインの効果を判断するためのテストです。

| 答え | ①コンバージョン率　②リスティング　③ポップアップ　④バナー<br>⑤オプトインメール　⑥アフィリエイト　⑦SNS　　⑧CGM<br>⑨CMS　　⑩A/Bテスト |
|---|---|

## Webによる販売促進2

①_____は，薄利多売によって大きな売上や利益を得ることができるという考え方です。

②_____は，実際の店舗での販売やカタログ通販，ネット通販など，販売チャネルを複数持ち，それらを統合してどの手段でも不便なく購入できるようにすることです。

③＿＿＿＿＿＿は，Webサイトを見た顧客を実店舗に導くものです。

④＿＿＿＿＿＿＿＿＿は，売り手と買い手の間に入って代金のやり取りを仲介するサービスです。

⑤＿＿＿＿＿＿＿＿は，インターネット上で，一般消費者が買いたい品物とその購入条件を提示し，売り手がそれに応じる取引形態です。

⑥＿＿＿＿＿＿＿＿＿は，完成後の商品を渡すことなどを約束して資金を不特定多数の人から少しずつ大量に集めることです。また，⑦＿＿＿＿＿＿＿＿＿は，ネットでの公募により，主に個人に仕事をアウトソースすることです。

⑧＿＿＿＿＿＿＿＿＿は，「貸し出す」・「共有する」ことによる経済活動のことです。

⑨＿＿＿＿＿＿＿＿は，ディスプレイに映像や文字などの情報を表示する電子看板です。

⑩＿＿＿＿＿＿は，基本的な製品やサービスを無料で提供し，さらに高度な機能やサービスは有料にすることで収益を得るビジネスモデルです。

**答え**
①ロングテール　②オムニチャネル
③○ to ○　④エスクローサービス
⑤逆オークション　⑥クラウドファンディング
⑦クラウドソーシング　⑧シェアリングエコノミー
⑨デジタルサイネージ　⑩フリーミアム

**10** 経営戦略とシステム戦略

●監修者紹介

**栢木 厚**（かやのき あつし）

IT企業のSEなどに従事した後，現在は高等学校の情報の教員免許を取得して，複数の高等学校において情報の授業・共通テスト対策の夏期講習を担当。さらには，高校生・社会人向けのIT国家試験対策の講師経験を活かし，執筆活動にあたる。

モットーは，「誰もがやっていない切り口から，"面白おかしく斬新に！"」

●装丁　平塚兼右（PiDEZA）

●カバー・本文イラスト
　　石川ともこ

●本文デザイン
　　平塚兼右（PiDEZA），（有）フジタ

●本文レイアウト
　　（有）フジタ

●編集　藤澤奈緒美

令和07年
かやのき先生のITパスポート教室準拠
書き込み式ドリル

2011年　4月25日　初　版　第1刷発行
2024年 12月 7日　第15版　第1刷発行

監修者　栢木　厚
発行者　片岡　巌
発行所　株式会社技術評論社
　　　　東京都新宿区市谷左内町21-13
電　話　03-3513-6150　販売促進部
　　　　03-3513-6166　書籍編集部
印刷/製本　昭和情報プロセス株式会社

**定価はカバーに表示してあります。**

本書の一部または全部を著作権法の定める範囲を超え，無断で複写，複製，転載，ファイルに落とすことを禁じます。

©2024　技術評論社

造本には細心の注意を払っておりますが，万一，乱丁（ページの乱れ）や落丁（ページの抜け）がございましたら，小社販売促進部までお送り下さい。送料小社負担にてお取替えいたします。

ISBN978-4-297-14536-1　C3055
Printed in Japan

■注意
　本書に関するご質問は，FAXや書面でお願いいたします。電話での直接のお問い合わせには一切お答えできませんので，あらかじめご了承下さい。また，以下に示す弊社のWebサイトでも質問用フォームを用意しておりますのでご利用下さい。
　ご質問の際には，書籍名と質問される該当ページ，返信先を明記してください。e-mailをお使いになれる方は，メールアドレスの併記をお願いいたします。

■連絡先
〒162-0846
東京都新宿区市谷左内町21-13
　（株）技術評論社　書籍編集部
「令和07年　かやのき先生のITパスポート教室準拠　書き込み式ドリル」係
FAX　：03-3513-6183
Webサイト：https://gihyo.jp/book